現代への教訓！世界史

神野正史

PHP文庫

○本表紙図柄＝ロゼッタ・ストーン（大英博物館蔵）
○本表紙デザイン＋紋章＝上田晃郷

まえがき

2016年に日経BPから上梓《じょうし》した拙著『現代を読み解くための「世界史」講義』は、各方面からご好評をいただきました。

その初版から5年の歳月を経、それを大幅に改訂および加筆したうえで、PHP研究所から文庫本として刊行することになったものが本書です。

その5年の間にも、日本が置かれた立場・我々を取り巻く状況は日々刻々と悪化・深刻となりつつあることは、日々、耳に入ってくる暗いニュースを目《ま》の当たりにしていればひしひしと感じることができると思います。

しかしながら、それらのニュースをどんなに注意深く聞いたとしても、それは「管中窺天《かんちゅうきてん》（細い管を通して天を覗《のぞ》き見る）」にすぎず、けっしてニュースの本質を理解することはできません。

ニュースの本質を真に理解するためには、どうしてもそれを歴史的観点から俯瞰《ふかん》して見る必要があるためです。

たとえば、過去500年の日本の歴史を遡《さかのぼ》ってみると、まず戦国時代100年の動乱を経て、その後、徳川300年の泰平を享受しましたが、幕末以降、明治・大正・昭和と1世紀ほどのあいだ国家存亡を賭《か》けた〝激動〟を経験することになりました。

しかし、第二次世界大戦後の半世紀ほどはふたたび泰平と繁栄を享受したものの、そうした〝至福のひととき〟は車窓の景色のようにアッという間に過ぎ去り、現在はふたたび混迷の世に向かっています。

こうして見ると、「歴史は安定期と混迷期を繰り返している」ことがわかりますが、これは過去500年の日本に限ったことではなく、人類悠久の歴史に当てはまります。

ちなみに、安定期というのは「昨日までの制度・体制・価値観・方法論《ノウハウ》・常識が明日以降もつづく」時代であるため、行動を起こすに当たっていちいち「物事を深く掘り下げて考究し、検証して試行錯誤」せずとも、前例に基づいて粛々《しゅくしゅく》と捌《さば》いていくだけで一定の成果があがるため、「前例主義」が蔓延《まんえん》することになります。

こうして安定期には「昨日までの今日が明日もつづく」のですが、それは裏を返せば、挑戦心・改革精神を失わせて組織（国家・企業）が固定化することを意味し、固定化が長くつづくと組織は硬直化を起こして、つねに変動している社会に徐々に適応できなくなっていきます。

組織が社会に合わなくなってくると、その歪《ひず》みから組織は「組織疲労」を起こして経営が傾きはじめます。

こうした大きな〝歴史の流れ〟を理解していれば、自分の置かれた状況を正確に把握でき、対策も容易となりますが、ほとんどの人はこうした〝歴史背景を前提とした大きな潮流〟を理解できていないために「なぜ組織が傾いたのか」が理解できず、したがって対策がわからず崩壊していきます。

この崩壊期こそが「混迷期」にあたり、混迷期においては「昨日までの制度・体制・価値観・方法論《ノウハウ》・常識が明日にはまったく通用しない」のですから、昨日までの方法論《ノウハウ》・常識を疑い、いちいち物事を深く掘り下げて考究し、検証しなければ明日を生き抜けないのに、そんなことにも気づかずいつまでも「前例主義」にしがみつく組織は、時代の荒波の中に消えていくことになるのです。

昨年10月、菅《すが》首相がその所信表明演説で「悪《あ》しき前例主義を打破し……」と発言しましたが、「前例主義」に〝悪しき〟という冠《かんむり》が付くこと自体、現在の日本が「混迷期にある」ことを意味しています。

このように、我々ひとりひとりがこの混迷からの脱却と、次の安定期までの生き残りを図らんとするなら、今自分の置かれた状況を正確に分析・理解することが必須となります。

そのためには、日々流れるニュースに真摯に耳を傾け、自分の周りに起こっている出来事・事件・状況をつねに歴史的観点から考察し、そのニュースの本質を正確に理解することが大切です。

本書はそのための「指南書」です。

読者諸兄は、本書を通してそうした視点を養っていただけたら幸いです。

神野正史

現代への教訓！世界史

目次

PART 1 真実は「言葉の裏」にあり

CHAPTER 01 オリンピックは「平和の祭典」ではない

CHAPTER 02

英国の離脱はEU崩壊の序章

CHAPTER 03

理解しようとするな！ 受け入れよ！

PART 2 歴史の〝必然〟には逆らえない

CHAPTER 04 現代「民主制」の機能不全は歴史的潮流

CHAPTER 05

謝罪会見に見る「小出し遅出し」の愚策

PART 3

この道はいつか来た道

CHAPTER 06

なぜ米大統領選は〝欠陥制度〟なのか？

CHAPTER 07

国境を巡る〝弱腰外交〟失敗の歴史

CHAPTER 08

繰り返される国家衰亡の歴史

PART 4

「現在」は「過去」から出来ている

CHAPTER 09

憲法改正――旧法に固執して破滅した歴史

CHAPTER 10

「少子高齢化」で本当に国は亡びるのか？

CHAPTER 11

日本の教育改革は「科挙」の二の舞か!?

PART 5

人間は歴史から学べない

CHAPTER 14

遠い根絶への道――歴史に見る「麻薬」の使い道

PART 6

真の成功は試練の先に在り

CHAPTER 15

世界一の贅沢に溺れた国の結末

CHAPTER 16

「小池都知事vs自民党都議会」の歴史的理由

CHAPTER 19

「不倫辞職議員」は参政権の重みがわかっていない

PART 1

真実は「言葉の裏」にあり

為政者が掲げる美辞麗句を信じるなかれ。
キャッチフレーズやスローガンは
「真実とは真逆」であることを、歴史は証明しています。

CHAPTER 01

オリンピックは「平和の祭典」ではない

オリンピックは「平和の祭典」をキャッチフレーズとし、人々はこれを言葉のままに鵜呑《うの》みにして、無邪気に喜んで観戦しています。しかし、そもそもキャッチフレーズやスローガンというものは、「真実とは真逆」なものが唱えられることを我々は理解しておかねばなりません。

1960年代初頭、L《リンドン》・B《ベインズ》・ジョンソンが大統領選を戦ったころのアメリカは行き詰まりを見せていました。

米ソ関係はいよいよ冷え込む一方なのに宇宙開発競争ではソ連に先を越され、経済は悪化の一途を辿《たど》り、憲法で「自由と平等」を謳《うた》いながら現実には厳しい黒人差別が存在するという事実が社会問題化し、鬱屈《うっくつ》・閉塞《へいそく》した社会が蔓延《まんえん》していたのです。

そうした中でジョンソン大統領が叫んだスローガンが、

「偉大なる社会」

――であり、まさに現実とは真逆な言葉です。

そのジョンソンの次に大統領に就任したR《リチャード》・ニクソンは叫びました。

「法と秩序」

このスローガン自体が、ジョンソン大統領の政策がうまくいかず、法も秩序も崩壊しつつあることを窺《うかが》わせます。

次のJ《ジミー》・カーター大統領は、「弱腰外交」と批判され、数々の外交上の失敗、特にイランを舞台に起こった「アメリカ大使館人質事件」の対応のまずさはアメリカ国民を失望させました。

そこで、ライバルだったR《ロナルド》・レーガンは大統領選でこう叫びます。

「強いアメリカ」

この言葉は、第二次世界大戦後の西側世界をリードしてきたアメリカの指導力に翳《かげ》りが現れ、急速に弱体化してきていることを意味しています。

そして21世紀を迎え、黒人初の大統領となったB《バラク》・オバマのスローガンがこうでした。

「チェンジ！（かわろう！）」「イエス、ウィキャン！（われわれならできる！）」

もはや、何をか況《いわ》んや。

例を挙げればキリがありませんのでこれくらいにしておきますが、キャッチフレーズやスローガンというものは、さほどに〝事実とは真逆のこと〟を叫ぶものなのです。

キャッチフレーズは「真実とは真逆」

もちろん、本章のテーマである「オリンピック」とて例外ではありません。「平和の祭典」などという〝耳当たりのよいキャッチフレーズ〟が繰り返し叫ばれるその裏では、ドス黒い陰謀が渦巻いています。

直近で例を挙げれば、2016年のリオデジャネイロ五輪《オリンピック》では、ロシアが国家ぐるみでドーピングしていた疑いが濃厚となり、大問題となりました。

また、2020年に開催予定だったオリンピックでは、その開催地の権利を獲得するために、日本が〝賄賂《わいろ》〟を贈っていた疑いが発覚し、騒ぎとなりました。

しかし、そのどれもが〝公然の秘密〟であって、いまさら感が拭《ぬぐ》えません。

国家ぐるみのドーピングも、開催地選定を巡っての賄賂の横行も、これまでもいろいろな国が〝ごく普通に〟やってきたことであって、その筋では誰もが知っていることです。

――知らぬは大衆ばかりなり。

オリンピックは国家予算レベルの莫大《ばくだい》な富と利権が動きます。

その巨富に魑魅魍魎《ちみもうりょう》がたかってくるのは当たり前のことで、〝清廉潔白〟に行われているわけがありません。

そこで今回は、オリンピックの本質に迫るため、その歴史を紐解《ひもと》いていきたいと思います。

本《もと》を糺《ただ》せば、オリンピックは古代ギリシアから始まったことは人口に膾炙《かいしゃ》していますが、当時のギリシアには「統一国家」というものがなく、「ポリス」と呼ばれる都市国家が多数濫立《らんりつ》し、それぞれが戦《いくさ》に明け暮れるという、日本で近いものをイメージすれば、さながら「戦国時代」の様相を呈していました。

しかし、このように恒常的に戦《いくさ》が展開している時代にあっては、打ちつづく戦《いくさ》でお互いに国内の経済・社会が疲弊し、市民が怨嗟《えんさ》の声を上げ、どちらの国も戦《いくさ》をやめたいと思っているのに、「こちらからやめると言えば足下《あしもと》を見られる」と戦《いくさ》が長引いてしまう、という事態がよく発生します。

そこで、いつのころからか始まり、いつしか行われなくなっていた「オリュンピア競技会」を再開し、「これが行われている間、休戦しなければならない」という取り決めが生まれ、どちらからでもなく戦《いくさ》を終わらせる口実として重宝がられるようになりました。

オリュンピア競技会とは、あくまで「精神と肉体を切磋琢磨《せっさたくま》し、これを神《ゼウス》に捧げ

る神聖なる競技会」でしたから、

・女人禁制であり（ゼウスが男神だったため）

・裸で競技を行い（不正なき意志の顕《あらわ》れ）

・優勝者には月桂冠と栄誉と肉が与えられるだけで賞金はなし

（競技そのものが神への捧げ物であるため）

……というものでした。

最初は「スパルタvsエーリス」間の戦《いくさ》を終わらせるために利用されたオリュンピア競技会でしたが、その成功を見た他のポリスも我も我もと参加したため、やがては全ギリシアのポリスが参加する一大イベントへと発展していきます。

これにより、全ギリシアのどこで戦争が起こっていようとも、どんなに長引こうとも、4年に一度やってくるオリュンピア競技会では休戦を余儀なくされ、表ではスポーツ大会が繰り広げられる一方、その裏では外交交渉の場が設けられ、終戦へ向かうよい契機となりました。

五輪《オリンピック》が「平和の祭典」と呼ばれる歴史的背景はここにあります。

古代五輪の衰退と近代五輪の発祥

ところが、これほど「平和の祭典」として重宝がられ、発展した古代オリュンピア競技会が、まもなく衰えていくことになりました。

なぜか――。

じつは、回を重ねるごとに大会が大規模化し、盛大になっていったことで、もともと「競技の勝敗など二の次」、あくまで「神儀」という建前の下《もと》、「和平交渉を行うための隠れ蓑《みの》」だったものが、参加国は次第にこの一大イベントに祖国《くに》の威信と栄誉を賭けて「勝敗」にこだわるようになり、各国政府は国威発揚のため、優勝者へ莫大な賞金を与えるようになっていったためです。

――優勝すればカネになる！

カネが集まるところにはかならず腐敗が起こります。

競技者は「神に捧げるため」ではなく「ゼニ儲《もう》けのため」「祖国《くに》の威信のため」に競技を行うようになり、不正が跋扈《ばっこ》し、大会は腐敗していきました。

不正に対する罰則をどれほど強化しても〝焼け石に水〟でほとんど効果なし。

果ては、時の権力者の意のままに敗者がむりやり「優勝」にされたり、開催年を変えられたりするようになり、オリュンピア競技会はその歴史的役割を終えて衰退していき、ローマ帝国においてキリスト教が国教とされた（392年）ことをきっかけに、〝異教の祭典〟として消えていくことになりました。

それから1500年ほどたった19世紀末。

「世紀末」という言葉が「繁栄した時代の末期に起こる退廃した世相」という意味を持つようになったこの時代、世の中が急速に不穏な空気に包まれていく中で、フランスのP《ピエール》・クーベルタンという男爵が歴史書の中から「古代オリュンピア競技会の平和精神」を知って、これに感銘を受けます。

そして、彼の提唱がきっかけとなって、1896年を「第1回」としてアテネで始まったものが、現代までつづいている「近代オリンピック」となりました。

こうした経緯《いきさつ》から、近代五輪《オリンピック》にも古代オリュンピアの遺伝子《DNA》「平和の祭典」という精神が（一応は）流れていることになります。

カネが動けば……近代オリンピックの腐敗

しかし、そうした高尚な精神を掲げて開催された近代五輪《オリンピック》もまた、古代オリュンピア競技会とまったく同じ道を辿って、アッという間に腐敗にまみれていくことになりました。

1900年の「第2回大会」では、早々に優勝者に賞金が与えられるようになります。

お金が動けば腐敗が蔓延することは避けられませんから、もしほんとうに大会の「崇高な理念」を守りたいなら、大会が賞金を与えてはならないのはもちろん、大会とは別に国が与えることすら許されません。

腐敗を避けるためには「賞金が欲しい者はエントリーしてもらわなくて結構!」というスタンスを貫かなければならないのです。

よく「日本は五輪《オリンピック》選手に対する報奨金が安すぎる!」「もっと多くの賞金を与えて成果に報いてやるべきだ!」と批判する方がいますが、こうした主張をする人は「五輪《オリンピック》精神」というものをまったく理解できていません。

これまで日本政府がメダリストに与えていた報奨金といえば、金300万円、銀200万円、銅100万円です。

これでは選手が払った労力にまったく見合いませんが、だからこそ腐敗が生まれにくく、真の「五輪《オリンピック》精神」に適《かな》っているのです。

理想を言えば、選手に与えられるのは「栄誉」と「月桂冠」のみで、1円たりとも付与してはいけません。

しかし、日本政府はこうした愚論・感情論に押される形で、リオ五輪《オリンピック》から金メダルの報奨金を500万円に引き上げることを決定しました。

国民は口先だけで「平和の祭典！」と熱狂しながら、その実、その精神をまったく理解できておらず、これをねじ曲げ、腐敗させている張本人となっている自覚すらありません。

たとえば、リオデジャネイロ五輪《オリンピック》でドーピング問題が上がったロシアですが、この国は、報奨金自体は大した額ではありませんが、その裏で、直接的間接的にあらゆる国家的特権や優遇を与えてきました。

そのため、ひとたびメダリストになればその選手は一生安泰となります。

だからこそ、そこが腐敗の温床となるのです。

ロシアが国家ぐるみでドーピングしていたことなど「公然の秘密」だ、と申し上げたのもそうした背景があります。

過度の「期待」がもたらすオリンピックの不正

そして、1904年の「第3回大会」では、はやくも不正が発覚します。アメリカ合衆国代表のマラソン選手（フレッド・ローツ）が、「マラソンの途中で自動車に乗る」という、現代では信じられないような不正（キセル・マラソン）をやらかしたのです。

こうした不正が発覚するたび、その選手が批判の矢面《やおもて》に立たされますが、そもそも国民の意識にも問題の根があります。

国民が異様に「結果」にこだわるため、選手はそうした「期待」に押し潰《つぶ》されて不正を働く者が出てくる要因のひとつになるからです。

巷間《こうかん》、テレビなどを観ていると、必要以上に「メダル！」「メダル！」「メダル！」

とメダルの色や数ばかりを話題にし、これを煽《あお》っていますが、そうした行為こそが五輪《オリンピック》精神を腐らせ、不正を助長させているという自覚が彼らにはまったくありません。

さんざん煽っておきながら、何か問題でも起ころうものなら、「困ったものです」「残念です」と、さも他人事《ひとごと》。

1908年の「第4回大会」において、当時の国際オリンピック委員会（IOC）会長が「オリンピックとは勝つことではなく参加することに意義がある」という言葉を取り上げ、すでに腐敗と不正のはびこっていた五輪《オリンピック》精神を批判しています。

五輪《オリンピック》精神からすれば、お互い競い合って切磋琢磨《せっさたくま》する「過程」こそが重要なのであって、「勝ち負け」は結果でしかなく、本来「どうでもいい」ことなのです。

――参加することに意義がある。

この言葉《スローガン》そのものを知らない人はいませんが、この言葉の「真意」を理解している人はほとんどいません。

冒頭で申し上げましたとおり、スローガンというものは「事実の逆」を掲げるものですから、この言葉《スローガン》自体がオリンピックの内情が腐敗と不正に満ちていることを表しているのです。

このように、歴史を辿ることで、「メダルの色や数に執着する」ことと「五輪《オリンピック》精神の理想を掲げる」ことは、相矛盾する行為であり、我々は競技自体を楽しみ、結果は二の次だということを自戒しなければなりません。

政治圧力に屈し、初のオリンピック中止へ

1912年に「第5回大会(ストックホルム)」が開催されると、その直後の1914年に第一次世界大戦が勃発《ぼっぱつ》しました。

第一次世界大戦は、人類史上初の「総力戦」「世界大戦」となり、空爆、毒ガス、戦車など次々と新兵器が投入され、空前の大規模かつ凄惨《せいさん》な戦争となり、1916年の「第6回大会(ベルリン)」が近づいても一向に終わる気配を見せません。

しかし、まさにこのときこそ、「戦争を終わらせるため」に生まれたオリンピックがその精神を全《まっと》うして〝本領発揮〟するときです。

こうした「政治的・外交的努力では終わらせることができない戦争を終わらせる」ことこそ、五輪《オリンピック》精神の真髄だからです。

しかも、奇《く》しくもこのとき「第6回」の開催地は、第一次世界大戦を牽引したドイツの首都・ベルリンなのですから、これ以上の好条件はありません。

ところが、オリンピックは政治的圧力にあっさりと屈して中止され、戦争が続行されることになりました。

これは単に「オリンピック開催中止」を意味するのではありません。

オリンピックの存在意義を問われる場面《シーン》で中止に追い込まれたのですから、この時点で早くもオリンピックは〝死に体〟になったことを意味しています。

しかし戦後、オリンピックは何事もなかったかのようにしれっと再開されました。

すでに「五輪精神《オリンピック》」は死んでいるのですから、以降のオリンピックは〝魂を抜かれてもなお動きつづける屍《ゾンビ》〟と化していきます。

オリンピックで国威発揚！　ヒトラーが政治利用

そうした〝生ける屍《しかばね》〟と化したオリンピックが何回か行われた後、1931年、「第11回大会（1936年開催予定）」の開催地が、再びベルリンに決まりました。

ベルリンが開催地に決まったのは2回目とはいえ、「第6回」は中止されていますから、これが事実上初の「ベルリン大会」となります。

さぞやドイツ国民も喜んだだろう――と思いきや、当時のドイツは世界恐慌（1929年）後の大不況の只中《ただなか》にあり、とてもオリンピックに浮かれるような雰囲気ではなく、政府も国民もこれを喜ぶどころか、不興を買う有様。

――この不景気にどこにそんなカネがある？

そんなカネがあるなら経済や福祉に回せ！

そのため、運営資金も600万マルクしか集まらず、運営委員は資金難にあえぐことになりました。

ところがその2年後の1933年、A《アドルフ》・ヒトラーが政権を握ると、彼はこれを全面的にバックアップすることを表明します。

まず運営資金として、それまでの10倍にあたる600万マルクを与え、世界で初めて10万人の観客収容能力のある巨大競技場を作らせて世界を驚かせました。

現在でも恒例となった「オリンピック発祥の地ギリシアのオリュンピアから開催地まで聖火リレーをする」というパフォーマンスもこのときのヒトラーのアイディアから始まったものです。

こうしてベルリン五輪《オリンピック》は大成功に終わりましたが、ヒトラーに「スポーツ振興」だの、「平和の祭典」だのという意図はまったくなく、それもこれもすべては「ナチス」のため。

ヒトラーにとってオリンピックとは「国威発揚の場」であり、ナチスの政治宣伝《プロパガンダ》であり、そして聖火リレーは、来《きた》るべき戦争において必要となるであろう、バルカン諸国の地理事情を堂々と調査するためのものにすぎず、「平和の祭典」どころか、完全に「戦争のための祭典」と化したのでした。

振り返れば、近代五輪《オリンピック》精神は「第2回大会」で早くも腐敗し、「第6回」で形骸《けいがい》化《か》していましたが、「第11回」で完全に死んだと言えましょう。

以降のオリンピックは、「平和を希求しつつ、個人の力を競いあうスポーツ大会」でも何でもなくなり、「ヒトラー式オリンピック」をモデルとして、政治的に利用されるだけのものと化して堕落《だらく》していきます。

古代オリュンピア競技会が腐敗まみれになって消えていった教訓は、近代五輪《オリンピック》ではまったく生かされることはなかったのでした。

カネにどっぷり染まった戦後のオリンピック

現在のオリンピックは、そうしたただの政治利用・商業利用のための〝お祭り〟と化した骸《むくろ》にすぎず、スローガンの「平和の祭典」など、「オリンピックの実態」から大衆の目を背《そむ》けさせるためのお題目にすぎません。

その現実を反映して、次の「第12回東京大会（1940年）」と「第13回ロンドン大会（1944年）」は、第二次世界大戦中であることを理由に中止され、改めて「オリンピックに戦争を止める力がまったくないこと」「オリンピック本来の存在意義がないこと」を再確認・証明することになっただけで、それは戦後も変わることはありません。

1964年に開かれた「第18回大会（東京）」は、政治的な理由で北朝鮮がボイコット。

1980年の「第22回大会（モスクワ）」は、その前年のソ連のアフガニスタン侵攻を受けて西側諸国を中心に50ヶ国以上がボイコット。

1984年の「第23回大会（ロサンゼルス）」では、今度は東側諸国が報復ボイコット――と、もはやただただ〝政治的主張をする場〟と化していきます。

さらに、オリンピックの衰退を象徴するかのように、1976年の「第21回大会（モントリオール）」は莫大な赤字となり、モントリオール市は以後数十年にもわたって借金返済に追われるという為体《ていたらく》となったため、これが以降のオリンピックの商業化を促進させるきっかけとなりました。

すなわち、オリンピック開催にあたって税金を投入せず、テレビ放映料・スポンサー収入・入場料などで、その費用を自前で捻出《ねんしゅつ》するというものです。

その結果、オリンピックが「ゼニ儲け主義」「拝金主義」と化すことは避けようもなく、腐敗にさらなる拍車をかけることになっていきます。

より多くのゼニを儲けるためには、より広く、より多くの人々に関心を持ってもらわなければなりません。そのために運営は必死に「感動の演出」「押し売り」を行うようになり、人々はそうした〝造られた感動〟に無邪気に感動します。

しかし、A《エイブラハム》・リンカーンは言いました。

「少数の人々を長い期間欺《あざむ》くことはできても、
多数の人々を短い期間欺くことができても、
多数の人々を長い期間欺くことはできない。」

初めは「感動の押し売り」に騙《だま》されて大喜びしていた人々も、いずれはその胡散《うさん》臭《くさ》さに気づき始めるでしょう。

いえ、すでに気づきつつあります。

腐敗した組織は消え去るのみ

ここで振り返って、古代オリュンピア競技会が衰退していった理由を思い出せば、近代五輪《オリンピック》がこれとまったく同じ轍《てつ》を踏んで歩んでいることがわかります。

つまり、その先にあるのは「消滅」のみです。

オリンピックも早晩そのメッキがはがれ、あれよあれよという間に話題にもならないほど人気が廃《すた》れ、大幅に規模を縮小するか、古代オリュンピア競技会同様、廃止されることになるでしょう。

すでに最近のオリンピックが、世界的に見れば今ひとつ盛り上がりに欠けるようになってきているのは、その前兆です。

そうした歴史的流れの中、コロナ禍が世界を覆《おお》い、2020年の東京オリンピックは頓挫《とんざ》しました。

これは、オリンピックの「完全な死」を加速させることになる前兆かもしれません。

CHAPTER 02

英国の離脱はEU崩壊の序章

1952年にECSC（ヨーロッパ石炭鉄鋼共同体）が誕生して以来、幾度となく改組・統合を繰り返しながら、これまで加盟国が加わることはあっても、一度として減ったことがなかったEUが、ついにその数を減らしました。これはEU崩壊の序章といえましょう。

2020年1月31日。

ついにイギリスが正式にEUを離脱しました。

今まで加盟国を増やす一方で、一度も減らすことのなかったEUからついに〝離脱〟する国が現れたのですから、これは教科書に載るレベルの〝事件〟です。

単に「加盟国数が28ヶ国から27ヶ国に減っただけ」と思ってはなりません。

これには重大な意味があります。

これによってこれからイギリスは、EUは、世界は、そして日本はどう影響を受け、展開していくことになるのか？

世界中がその動向を、固唾《かたず》を呑《の》んで見守り、早くもたくさんのアナリストたちが侃々諤々《かんかんがくがく》、多くの議論を戦わせていますが、おそらくその議論は一般の方々にはチンプンカンプンなのではないでしょうか。

現状の国際情勢を理解するためには、何よりもまず歴史的背景を踏まえることが必須なのですが、どうもその一番大切なところが、御座《おざ》なりになっているようです。

じつは法的拘束力はない――国民投票の役割

まず、勘違いしてはならないのは、イギリスのEU離脱の契機《きっかけ》となった2016年の「EU離脱の是非を問う国民投票」には法的拘束力はないということです。

この点について、イギリス国民ですら意識から飛んでいるのか、知らされていないのか、「離脱派」が過半数を超えたことでEU離脱がすでに〝決定事項〟であるかのように、「残留派」と「離脱派」で熱狂と落胆が交錯していました。

しかし、イギリス議会がもしこの決定を無視・黙殺したとしても、法規上はなんら問題はありません。

じつのところ、国民投票の政治的役割は、「民主主義精神に従って、国民の信を問い、これを国政に反映させるもの」ではありません。

そう叫ばれているのは、あくまで〝国民向けの建前〟であって、政府（議会）が国民投票に期待したのは、「国民投票の結果を政府の意思に追従させ、これにより政府の意向に逆らう反対派を黙らせる」ことにあったのです。

フランス革命直前期に酷似

ところが結果は、政府の意に反したものになってしまいました。

こうした現在のイギリスの政治状況を歴史的視点で紐解けば、「フランス革命直前のフランスの政治状況」によく似ています。

たとえば、今回の国民投票はロンドンを中心として、ブリテン島東南部が洪水を伴うほどの豪雨と雷雨に見舞われ、投票にも支障を来すほどでした。

まるでこの先のイギリスの「暗雲」を象徴しているかのようですが、これはフランス革命の直前、マリー・アントワネットとルイ王太子（後のルイ16世）の結婚式の日、前日までの晴天が嘘のように豪雨・雷雨になったことを彷彿《ほうふつ》とさせます。

現在のイギリスで問題になっているのは「EU離脱問題」で、当時のフランスで問題になっていたのは「特権身分課税問題」であり、議題こそ違いますが、このときのフランス政府も「絶対に特権課税などさせない！」という固い意思統一がされていたにもかかわらず、あえてその議題で「三部会」を開催させました。

その背景には、歴代蔵相（テュルゴー・ネッケル・カロンヌ・ブリエンヌら）がこぞって「特権課税！」を叫んでいたため、「三部会」で否決させることで彼らを黙らせようとしたにすぎません。

この「三部会」が、今回のイギリスの「国民投票」に相当します。

三部会もまた、イギリスの国民投票同様、「法的拘束力」などなく、ただ政府の意向に沿った結論を出させることで、反対派を黙らせようとしただけです。

しかも、「法的拘束力はない」ということを当時の第三身分（一般市民）たちは知らず、三部会で決定されたことは必ず執行されると信じていたところまで、現代のイギリスとそっくり。

まさに「歴史は繰り返す」とはよく言ったものです。

国民投票の結果が実現するとは限らない

今回のイギリスでも、「離脱派」はすでにEU離脱の執行が決定したかのように熱狂し、「残留派」はこの世の終わりのように失望しましたが、先ほども述べたように、国民投票にはなんら法的拘束力はないのですから、まだこの時点では予断を許さず、政府はなにやかやと難癖つけてこれを反故《ほご》にする可能性は考えられました。

しかしながら、政府としても安易にこれを黙殺することもまた難しい。

政府が情報を統制《コントロール》できた昔ならいざ知らず、今はネット環境が普及し、末端かことになったら、それこそ「国民投票はなかったことに……」と言えば、「じゃあ何のために国民投票なんぞやった⁉」と国民の怒りが爆発する可能性は非常に高いためです。

それがすでに衰運著《いちじる》しいイギリスの衰亡のきっかけになる可能性すらあり、反故にするつもりであれば、よほどうまくやらなければなりません。

先に「フランス革命直前期のフランス」に喩《たと》えましたが、このときもフランス政府は三部会の決議を利用しようとしていただけで、万が一にも政府の意向に沿わないようなら、これを圧殺するつもりでした。

ところが、「三部会は法的拘束力を持たない」「そもそも決議方式が理不尽で第三身分に勝ち目はない」と知った第三身分議員たちが騒ぎ始め、政府はその鎮静化に失敗。

それがこじれて「フランス革命」へと発展、ブルボン王朝は「滅亡」の憂き目をみることになりました。

となれば、ここまで瓜二つの動きをしているイギリスは、これを〝他山の石〟として戒めなければなりません。

このときのフランスは、以降10年にわたり血で血を洗うような収拾のつかない「フランス革命」へと突入し、その中で数千人もの罪なき者の首がギロチン台の露と消えていく（ロベスピエールの恐怖政治）ことになりました。

そのフランス革命も10年の時を経てようやく沈静化に向かったかと思ったら、今度は「ナポレオン」という独裁者が現れ、それからさらに10年、ヨーロッパを巻き込む大戦争時代へと突入していき、今度はロベスピエールなど比ではない100万人以上もの命が戦場に散っていきました。

ナポレオン失脚後も、33年にわたって血で血を洗う革命騒ぎ（七月革命、二月革命など）が相次いで政治は混迷を極めます。

そうした革命騒ぎがようやく落ち着いたと思ったら、再びナポレオン（3世）が台頭し、その独裁時代が18年もつづくことになりました。

こうした悲惨な歴史を歩むことになった契機《きっかけ》は、「三部会の扱いを誤った」からです。

したがって、2016年の国民投票の時点では先行きは不透明、どちらに転ぶか予断を許さないと。

案《あん》の定《じょう》、国民投票後も政府は「残留」と「離脱」との狭間で揺れ惑《まど》いましたが、結局、政府は民意に屈し、２０２０年、予定通り「離脱」と相なりました。

ふたつの世界大戦

ところで、そもそも「ＥＵ」とは一体なんなのでしょうか。

これを説明するためには、時を18～19世紀の「帝国主義時代」にまで遡《さかのぼ》らなければなりません。

当時は、産業革命の成果を背景に、白人列強が次々とＡ《アジア》・Ａ《アフリカ》圏の国々をその隷属下に置いていった時代です。

しかし、「エサ（植民地）」が豊富にあるうちはまだ良かったのですが、19世紀いっぱいをかけてこれをほとんど食い尽くしたとき、20世紀に入って最終的に彼らが行き着いたところは〝共食い〟でした。

その〝共食い〟こそが「第一次世界大戦」です。

こうして、人類が初めて経験した4年半にもおよぶ凄惨な「総力戦」ののち、彼らは、その荒廃したヨーロッパの惨状を目の当《ま》たりにして自らの行為に恐怖しました。

――こんな悲惨な戦争をもう一度やったら、

我々ヨーロッパは二度と立ち直れないほどの

打撃を被《こうむ》ることになるぞ!


ところが、その反省も虚しく、彼らは第一次世界大戦が終わって(1918年)からわずか20年後、もう一度〝共食い〟を始めてしまいます。

しかも、第一次世界大戦など比較にならないほどの規模で。

それこそが「第二次世界大戦」です。

大戦後、二度目の荒廃したヨーロッパを目の当たりにしたとき、彼らはみずからの愚行・蛮行に茫然《ぼうぜん》自失《じしつ》。

そうした絶望感が蔓延する中、当時のフランス外相シューマンがひとつの構想を提唱します。

「なぜ我々はどうしても〝共食い〟を抑えることができないのか?

それは、偏在している地下資源をひとつの国が独占しようとしたり、相手国から奪おうとするからである。

そうならないために、地下資源を加盟国間で共有化し、これを人口比別に均霑《きんてん》(均等分配)するような組織を作ろうではないか。

そうすれば、二度とこんな〝共食い〟は起きないだろう!」

こうして1952年、まずは加盟国間の「石炭《コール》と鉄鋼《アンドスチール》」を共有する「ECSC(欧州《ヨーロッパ》石炭《コール》　鉄鋼《アンドスチール》共同体《コミュニティ》)」が発足することになりました。

しかしながら。

――時すでに遅し。

この二度にわたる大戦がヨーロッパに残した傷はあまりにも深く、以後ヨーロッパは20世紀後半をかけてじわじわと衰えていくことになります。

その衰勢たるや、目を覆わんばかり。

主導権はアメリカに奪われ、ついこの間まで〝たかが極東の貧乏小国〟と小馬鹿にしていた日本にまで抜かれ、中国にも抜かれ、あれよあれよという間に、ヨーロッパは再び、17世紀以前のように〝地球の辺境〟へと戻っていく様相を呈してきます。

ひとたび弱者となれば、弱者は群れることでその身を護るしかありません。

初めこそ「地下資源（石炭と鉄鋼）の共有」という理念から始まった共同体ECSCでしたが、その適用範囲をどんどん拡張していき、1958年にはEEC（欧州経済共同体）、EURATOM（欧州原子力共同体）と発展させ、67年にはこれらを統合してEC（欧州共同体）へと広げていきます。

のみならず、その共同範囲を経済活動に限定せず、外交や司法にまで範囲を拡げて93年には「EU」として生まれ変わり、その加盟国もECSCの6ヶ国から始まって28ヶ国まで増やして、ヨーロッパのほとんどの国が参加するまで成長させていきました。

しかし、こうしたEUの発展は、裏を返せば、「もはや昔日《せきじつ》の面影《おもかげ》を失ったヨーロッパが、これからも米・日・中と肩を並べて国際社会に発言権を保ちつづけていくためには、全欧が連合して当たるしかない」というヨーロッパの焦燥を意味しているのです。

そして、その理想は「アメリカ合衆国」。

アメリカ合衆国が「国家《ステイツ》(州)の連合体(United States)」であるように、ヨーロッパもこれを理想として、「ヨーロッパ合衆国」を目指して生き残りを図った、その途上の姿がEUです。

「ヨーロッパ合衆国」の実態はぐらつく積木

しかし、アメリカが「合衆国」としてうまく運営できたのは、全州《ステイツ》に「我らアメリカ人」という国民意識が厳然としてあり、それが強力な〝接着剤〟の役割を果たしているからです。

たしかにアメリカのひとつひとつの「州《ステイツ》」だけ見れば、その独立意識はかなり強いものがありますが、その〝接着剤〟のおかげで、「外」に対しては「50州でひとつ」として動くことができます。

喩《たと》えるなら、50のパーツの積木(州)で「城(国)」を組みあげるのに、「接着剤

（国民意識）」で貼り付けながら組んであるようなものですから、パッと見、バラバラのパーツの寄せ集め細工のように見えながら、じつは存外強固です。

これとは対照的に、ヨーロッパ諸国には「我らヨーロッパ人」という〝統一的な国民意識〟はありません。

ただ、イギリス人、フランス人、ドイツ人、スペイン人、ポーランド人といった、各国バラバラの国民意識があるだけです。

いわば、ヨーロッパ統合とは「アメリカ合衆国を真似て、50（ヨーロッパの国の数）の積木パーツで〝ヨーロッパ合衆国〟という城を築こうとした」ようなものなのですが、致命的な違いは「接着剤（国民意識）を使っていない」という点です。

たとえ〝接着剤〟を使わずとも、一応は、積木（ヨーロッパ諸国）で城（ＥＵ）を築くことは可能でしょう。

しかしそれは、一見立派に見えても、ホンの少し揺れたり、風が吹いたりしただけで、アッという間に揺らぎ、歪《ゆが》み、崩れ落ちてしまう程度のモロいものにすぎません。

今現在のＥＵの姿は、まさにこの「ぐらつく積木」状態です。

「ヨーロッパ合衆国」など最初から夢のまた夢、EUが崩壊するのは時間の問題だといえましょう。

EU崩壊による国際的被害は？

どんな巨塔も崩壊するときは一瞬です。

どんな巨大な堰堤《ダム》も小さな亀裂から一気に決潰《けっかい》することがあるように、どんな巨塔もひとたび崩れはじめたが最後、その直前までの巨塔の偉容からは、想像もできないほどあっけなく崩壊していくものです。

マンハッタンにあった世界貿易センタービルがそうであったように。

そうした観点から見たとき、こたびの「イギリスのEU離脱」は、EUが一気に決潰する〝小さな亀裂〟となる可能性は否定できません。

そうなったとき、堰堤《ダム》の崩壊に巻き込まれて周りの者も無事では済まないでしょう。

それはヨーロッパはもちろん、日本に、世界に、どのような影響を与えることになるのでしょうか。

マスコミを見ておりますと、アナリストたちがいろいろ論じ、「世界恐慌が起こる！」など、さもすさまじい悪影響となって日本を襲うがごとく不安を煽り立てていますが、筆者は騒ぐほどの被害はないと見ています。

なんとなれば、「嵐の前の閑《しず》けさ」「津波の前は潮が引く」といいますが、物事「大禍の前は平穏」であるものだからです。

たとえば、すこし前（２０１４年）に「ウクライナ問題」が世界のニュースを駆け巡ったことがありました。

あのときも今回同様、世界中のアナリストたちがこぞって警鐘を鳴らしたものです。

——このウクライナ問題が発端となって、
第三次世界大戦となる可能性が高い！

しかしこうした喧噪《けんそう》の中、筆者はさまざまなところで広言していました。

――これが第三次世界大戦に発展することは断じてない！

事実、筆者の言ったとおりになりました。

筆者は、国際政治学の専門家ではありません。

にもかかわらず、なぜ専門家の逆を張って当てることができたのでしょうか。

それは「世界中の専門家が警鐘を鳴らしていたから」です。

歴史を紐解くと、「大きな危機が訪れる直前」というのは、自分たちが「危機の直前にいる」ことを誰ひとり気づいていないものです。

たとえば、あの第一次世界大戦が起こる直前、いえ、勃発したあとであっても、この戦争が「人類史上初の総力戦」となって、歴史に刻まれるような大戦になろうなどと予想していた者は誰もいませんでした。

また、この大戦終結の10年後（1929年）に起こった「世界大恐慌」にしてもそうです。

この「世界大恐慌」の到来を予測できた人など、世界でも本当に指で折って数えるほどのごくわずかな人たちだけで、後は株価の狂乱に酔っている者たちばかりでした。

それどころか、時のアメリカ合衆国大統領H《ハーバート》・フーヴァーなど、大恐慌が直前まで迫った半年前、「我が合衆国の繁栄は永遠につづくであろう！」とぶち上げたのみならず、実際に大恐慌が起こった後も、それが大恐慌と認識することすらできず、「ただ風邪を引いただけだ！」とうそぶき、経済無策をつづけ、傷を深めていったものです。

そして、さらにその10年後（１９３９年）に起こった「第二次世界大戦」にしてもそうです。

現在では、「１９３９年9月1日、ヒトラーによるポーランド進撃をもって、第二次世界大戦の勃発！」と見なしますが、じつはこの時点では、英仏はもちろん、ポーランドに電撃戦をしかけたヒトラー本人ですら、これが「世界大戦」になるなど夢にも思っていませんでした。

ヒトラーなどは、ポーランド占領をもって、そのまま戦争は終息すると考えていたのです。

専門家に予測できる破局は起こらない

このように、大破局《カタストロフ》というものは「誰もそれを予測していない」ときに起こるものであって、アナリストたちが「危ない！」「危ない！」と大合唱しているときには起きないものなのです。

なんとなれば、誰も予測していないときというのは、それが起こらないようにする対策もまた為されないからです。

ストッパーがなければ、岩はどこまでも坂道を転げ落ちていくだけです。

逆に、専門家たちが「ヤバいぞ！」「ヤバいぞ！」と警鐘を鳴らしているときというのは、危機感に煽られて政治家や経済人たちが立ち上がり、破局《カタストロフ》に至らないように東奔西走して対策に当たるため、破局《カタストロフ》は起こらないか、起こっても最小限の被害で済むものなのです。

つまり。

すでに見てまいりましたように、ＥＵには根本的にして致命的な欠陥があるため、未来はなく、今回イギリスが〝沈みゆく船から逃げだす鼠《ねずみ》〟よろしくＥＵから離脱したことは、巡り巡ってEU崩壊の契機《きっかけ》となるかもしれませんが、そのことが及ぼす日本への影響は、アナリストたちが煽るような大禍とはならない――と筆者は予測しています。

彼らの予測はあくまで「このまま何ひとつ対策を取らなければ、その延長線上ではこうなる！」ということであって、警鐘が鳴らされていれば、人は対策を練るためです。

したがって、必要以上に不安がる必要はないでしょう。

CHAPTER 03

理解しようとするな! 受け入れよ!

2016年、アメリカ合衆国大統領として初めて、オバマ大統領が広島を訪問しました。これはたいへん意味深いことです。

一国の元首が「訪れる」ということには、自動的に〝言外の意味〟が込められるからです。

たとえば、ここにA国とB国が話し合いの場を持ちたいと考えたとします。

すると、次に問題になるのが「話し合いの場をどこに設定するか」です。

A国の都市で話し合うということになれば、B国の首脳が「格下」ということになってしまいますし、その逆もまた然《しか》り。

この会場設定に手間取り、結局、話し合いの場を持つという話そのものが流れてしまうということすら珍しくありません。

たとえば、第二次世界大戦中、独ソ戦が始まったころ、米英の元首が戦後の国際秩序について話し合いの場を持とうとしたことがあります。

しかし、先の理由によって、その会場をイギリス国内で設定してもアメリカ国内で設定してもカドが立ちます。

そうした場合、通常はジュネーヴとかハーグとかオスロとか、中立国や第三国の都市に設定して、両国首脳がそこに詣《もう》でる形を取ることが多いのですが、当時は大戦中で、全欧がドイツの支配下か影響下に置かれていたため、それも叶《かな》いません。

そこで、アメリカからは「重巡洋艦オーガスタ」を出し、イギリスからは「戦艦プリンス・オブ・ウェールズ」を出し、米英の間に広がる大西洋上で話し合おうということになりました。

これがいわゆる「大西洋上会談」です。

これなら、両者首脳が対等に出国したことになり、上下関係が生じません。

ところが今度は、この二隻の船が接舷したとき、英首相W《ウィンストン》・チャーチルが下船して重巡洋艦オーガスタに乗り込むのか、米大統領F《フランクリン》・D《デラノ》・ルーズヴェルトが下船して戦艦プリンス・オブ・ウェールズに乗り込むのかで、またしても上下関係が生まれてしまいます。

こうした、はたから見ていると「そんなのどうでもいい！」と思うことに彼らは誇りをかけて執着します。

そこで妙案。

――まず、両船を接舷する場所を大西洋のド真ん中ではなく、アメリカ寄りのニューファンドランド島沖合の洋上に設定する。

その分、チャーチルが遠くまで足を延ばさなければならないことになりますが、その代わりに、米大統領の方が下船し、戦艦プリンス・オブ・ウェールズの艦上で調印する。

こうすることで米英が「対等」ということになり、これでようやく話し合いが始められることになりました。

たかが民間でさえ、ひとたび酒宴の席を設ければ、上座だの下座だのとうるさい儀礼が発生しますが、ましてや国家の代表が話し合う「外交」ともなれば、こうした複雑でめんどうくさい儀礼や意味が発生します。

「訪問」以上の〝意味〟とは？

2016年、オバマ大統領が来日した直接の目的は「伊勢志摩《いせしま》サミット」ですが、その帰路、広島に寄っていくということです。

しかし、地図を見れば一目瞭然《いちもくりょうぜん》、伊勢と広島では「ついでに寄る」という距離ではありません。

大統領職というのは分刻みで予定が消化されていく多忙な職業で、ヒマではありませんし、そのうえ日本が頼んだわけでもないにもかかわらず、「アメリカ大統領初」という肩書を背負ってわざわざ広島まで足を延ばすのですから、そこに「訪問」以上の〝意味〟がないわけがありません。

常識的に考えれば、もちろんそれは「謝罪」です。

殺人犯が「被害者のお墓に行きたい」と言えば、そのこと自体が「謝意」を意味するのと同じです。

したがって、アメリカ国内でもこれに敏感に反応しました。

――訪問するのはいいとして、謝罪はしてはならない。

――多くの日本人が死んでいったことに追悼《ついとう》の意を捧げることがあっても、断じて謝罪はしてもらいたくない。

おおよそ「訪問はよい」、最悪「追悼の意を捧げるまではいい」が、「謝罪だけは断じてしてはならない」と、「訪問」と「謝意」を切り離そうとする、アメリカ人の苦しい態度がありありと表れています。

先の例でいえば、殺人犯が「被害者のお墓にお参りはするし、追悼の意を捧げるが、断じて謝罪はしない！」と言っているのと同じで、ほとんど意味不明です。墓参り自体が「謝意そのもの」なのですから。

原爆投下の正当化

戦後76年、ホワイトハウスは合衆国の内外に向けて、自国のしでかした人類史上稀《まれ》に見る、この凄惨な「無差別大量虐殺」を必死に弁明してきました。

――あれによって戦争を早く終わらせることができたのだから正義。

――あのまま戦争がつづいていたら、さらに50万人の戦死者が出ただろう。

しかしながら、「戦争を早く終わらせることが理由だった」というなら、日時を予告してどこかの無人島か洋上でその「威力」を見せつけてやればよいだけのこと。わざわざ街のど真ん中に落とす理由にはなりません。

それに、そもそもこの「50万人」という数字は、軍事的研究の結果算出されたものでも何でもない、何の根拠もないまったく〝適当〟な数字です。

そのうえ、実際に戦争を目の前でつぶさに見てきた最前線の将軍たちは、そうは考えていませんでした。

「すでに日本が降伏するのは時間の問題」（アイゼンハウアー将軍）

「すでに軍事的に決しており原爆はまったく不要」（マッカーサー将軍）

さらに、日本側でもこのときすでに降伏する準備を整えていました。

そんなことは百も承知の上でアメリカはあえて原爆を2発も落としたのですから、右のような言い訳、聞くに堪《た》えない幼稚な詭弁《きべん》でしかありません。

軍事的に落とす必要のない原爆を2つも落としたホントの理由は、恐らく、

「開発したばかりの原爆を実際の町に落として

どれほどの被害が出るか実験したかった。」

「ソ連に原爆の威力を見せつけたかった。」

……といったあたりでしょう。

しかし、「人体実験のため」「ソ連へのアピールのため」などと素直に認めれば、国際非難を受けることは目に見えていますから断じて認めるわけにはいきません。

百歩、いえ、二百歩譲ったとして、ホワイトハウスが主張するように「原爆を落とさなければ50万人の米兵の被害が出た」としても、兵に損失が出るのは戦争をやっている以上当たり前のことであって、それを根拠として、老人も赤子も女も子供も無差別に、問答無用で大量虐殺することを正当化する理由になろうはずがありません。

そんな言い訳が通用するなら、ヒトラーが行ったユダヤ人大虐殺《ジェノサイド》も「正当なる行為」ということになります。

しかし、世界中の多くの人がこんな聞くに堪えない戯言《たわごと》をマに受けてきました。

当の日本人ですら。

「歴史に無知」というのは、こんな幼稚なプロパガンダにいともカンタンに騙されてしまうほど、罪深いことなのです。

スミソニアン博物館のエノラ・ゲイ（B－29）の展示のところには、このような説明文がありました。

——原爆を落としたことはアメリカの正義であり、栄光である。

謝罪しないどころか、「正義」「栄光」とまで口にする。

アメリカのこうした不遜《ふそん》な態度はいったいどこから来るのでしょうか。

アメリカ人のルーツを辿ると……

その人の人となりを本当に深く理解しようと思ったら、やはり、その人が生まれてから以降、家族構成、親兄弟の経歴や性質、生まれ育った環境、本人自身の経歴などを遡って知らなければ決して理解できるものではありません。

それと同じように、アメリカ人の民族性を理解しようと思えば、やはりその歴史を辿る必要があります。

そもそもアメリカ合衆国という国は、イギリス人の植民から始まりました。

よく「宗教弾圧を受けた者たちが新天地を求めて」などと言われますが、あんなものは植民を美化したいアメリカ人のプロパガンダです。

もちろんそうして植民した者もゼロではありませんが、実際の植民者の多くは、食い詰め者、浮浪者、犯罪者、指名手配犯、果ては受刑者といった社会のつまはじき者、イギリス社会では生きていく場所を失ったアウトローの輩《やから》が「一攫千金《いっかくせんきん》」を求めてやってきたというパターンです。

いわば、江戸時代の佐渡島《さどがしま》、19世紀のオーストラリアのようなものでした。

そのため、彼らは「ここで先住民族《インディアン》と共存し、自ら額に汗して農業を行って、あるいは先住民族たちと混血しながら落ち着く」という発想はなく、「先住民族を殺《さつ》戮《りく》しながらその富を掠奪《りゃくだつ》する」ことしか頭にありませんでした。

アメリカ合衆国という国はそうして造られた国です。

先住民族《インディアン》を蛮族と見下して混血することすらなく、アメリカ人にとって先住民族《インディアン》はただ殺戮し、奪う対象でしかなく、それは歴代大統領の言葉にも表れています。

――インディアンを絶滅させることは正義である！

（初代大統領G《ジョージ》・ワシントン）

――インディアンには知性も道徳も向上心もない。

我々のような優れた民族に囲まれながら、己の劣等性すら理解できない。

やつらは亡ぼされなければならない。（第7代大統領A《アンドリュー》・ジャクソン）

――インディアンの絶滅を支持する！（第26代大統領T《セオドア》・ルーズヴェルト）

どちらが「知性も道徳もない」のか、どちらが「野蛮」「劣等」なのか小一時間問い詰めたくなる衝動に駆られますが、じつは、こうした彼らの言動にもやはり「歴史的背景」があります。

狩猟民族の価値観

今でこそ、ヨーロッパというと大都市のひしめきあう地域というイメージがあるかもしれませんが、ほんのついこの間まで、日本人などには想像できないほどの鬱《うっ》蒼《そう》とした森に鎖《とざ》された世界で、そこにすむヨーロッパ人というのは、まさに「森の民」でした。

気候は曇天が多く、比較的寒冷なためあまり農耕には向かない。生活の糧《かて》は自然と「狩猟」「牧畜」に頼ることになります。

ところで、「狩猟」と「農業」は根本的に違います。

農業は何もない土地を開墾し、耕し、手間暇かけて穀物などを「生産」しますから、これを「生産経済」と呼びます。

これに対して、狩猟は最初から周りにいる動物を狩り食らうのみで「自ら生産する」ということをしないため「獲得経済」と呼びます。

農業は「自然」に逆らっては生きていけませんから、そうした生活を何千年と送るうちに、何よりも自然との「調和」を重んずる価値観の民族となっていきます。

したがって、我々（農耕民族の末裔《まつえい》）は、のびのびと森に生きている動物を狩り、解体する様を目の当たりにすると、「それが狩猟の仕事」と頭では理解していても、目の前で殺されていく動物に対して湧《わ》き起こる「かわいそう」という感情を抑えることができません。

これに対して、狩猟民にとっては「狩る」「解体する」のは生活の一部ですから、殺される動物への憐《あわ》れみの情など微塵《みじん》も湧いてきません。

このように、環境の違いが狩猟民族と農耕民族との間に隔絶的な価値観の違いを生みます。

ついこの間まで、こうした狩猟生活を何千年とつづけてきたヨーロッパ人には、現在に至るまでこうした「狩猟民族としての価値観」が脈々と息づいています。

――欲しいものは狩ればよい。

対象が動物ならばそれでよいでしょうが、たとえば穀物など狩猟では手に入らないものを欲したとき、どうやってそれを手に入れるのでしょうか。

ここで彼らは我々（農耕民族）とはまったく違った発想をします。

「穀物が欲しいから、我らも自ら額に汗して働き、農業を始めよう！」などとはつゆほども思いません。

――ないものは奪えばよい。

これが彼らの発想です。

狩猟民族の彼らにとって、「狩り（征服）」だけが自分たちの本来の仕事であって、農業（生産）とは「異民族（農耕民）がするもの」という考えしかありません。

このように、農耕民族が「調和」を基盤とする価値観・文化であるのに対して、狩猟民族は「征服」こそが基盤なのです。

狩猟民族と農耕民族①――たとえば、庭

日本人に庭を造らせれば、なるべく自然と「調和」したものを造ろうとします。

敷地内に大木やでこぼこがあっても、なるべくそれらを生かした構成を考え、道を作るにも点々としかもジグザグに置き石を置き、なるべく自然を損なわないよ

う、目立たないようにします。

また、水は上から下へ落ちるもの。

したがって、湧き水は樋《とい》を使って自然に逆らうことなく上から下へと流してやり、それを最後に竹筒で受けてやります。

これがいわゆる「ししおどし」です。

池を作るなら、なるべく自然界に溶け込みそうな歪んだ、でも自然な形にします。

すべてに「調和」の精神が滾々《こんこん》と流れ、そうした風景に日本人は〝風流〟を感じます。

これに対し、ヨーロッパ人に庭造りをさせると、まったく異質の庭になります。

木があれば伐採し、でこぼこがあればこれをならし、整地し、レンガや石板を敷き詰めることから始まります。

道を作らせれば、きわめて人工的な「まっすぐな道」を作り、池を作らせれば不自然な「まんまるの池」を作り、その池の中央からは、重力に逆らって下から上へ水を吹き上げ（噴水）させます。

彼らがヨーロッパに移住してきたとき、彼らは「森との調和」ではなく、「森の征服」すなわち、森林を伐採し、切り開き、平地にして、町を建設していきました。

そういうのが〝彼らしい庭〟なのです。

したがって、彼らの文化から〝風流〟などという概念すら生まれることはなく、彼らのやることなすことすべての根幹には、「征服」「ねじ伏せる」「支配する」という精神があるのみです。

狩猟民族と農耕民族②――たとえば、お茶

お茶ひとつ取っても、そこに「調和」の精神と「征服」の精神が表れています。

お茶は渋い。

しかし、それこそが〝自然の味〟です。

調和を重んずる日本人は、この自然の渋みの味をそのまま楽しもうとします。

すると、表面的な渋みの中に〝旨味《うまみ》〟が溶け込んでいることに気づきます。

こうしたことに〝味わい〟を感じます。

しかし、このお茶をヨーロッパ人が知るようになると、彼らは考えます。

――まずい！

そこで、砂糖やミルクを入れて味を調《ととの》える。

自然の味わいを楽しむという発想はなく、自分の好みの味になるまでいろんなものを混ぜて味をも「ねじ伏せる」。

ミルクを入れることでカテキンが破壊され、そのうえ砂糖を混ぜることでお茶の「健康飲料」としての意味は消え失《う》せ、単なる「甘ったるいジュース」になりますが、彼らはこうして味を「征服」してご満悦。

したがって、彼らは〝旨味〟という味わいを、日本人に教えてもらうまで知りませんでした。

他にも、「調和」と「征服」の違いはありとあらゆる文化の違いとなって表れていますが、キリがないのでこれくらいにしておきます。

要するに、農耕民族の末裔と狩猟民族の末裔では、それほどまでに価値観が根底から違うのです。

狩猟民族と農耕民族③——たとえば、謝罪

このように、我々とは隔絶した価値基準と行動様式を持つ彼らに、「風流」「旨味」などという概念がないのと同様、「謝罪」という発想もありません。

「調和」を重んずる我々は、社会・共同体の「和」を崩さないことを最優先し、悪いと思ったら謝りますし、なんなら自分に非がなくたって「和」を保つためなら謝ることをためらいません。

それが日本人にとっては「美徳」です。

しかし、彼らにとって謝罪は「美徳」どころか、「屈辱」「敗北」以外の何物でもありません。

自分たち以外の周りのすべての存在が「獲物」であり、「敵」であり、「征服する対象」「ねじ伏せる対象」「従わせる対象」でしかないためです。

彼らにとって「獲物」や「敵」に謝罪するなど、考えられないこと。

それは、何千年もの狩猟生活の中で、彼らの遺伝子《DNA》の奥底に刻み込まれてきたものですから、自分がどれほどの悪魔のごとき所業をなそうが、たとえそれを理性で

は自覚していようが、遺伝子《DNA》レベルで本能がそれを拒絶するのです。

さきに、私は今回のオバマ大統領の広島訪問についてこう申しました。「訪問イコール謝罪なのであって、訪問はよいが、謝罪だけは断じてしてはならないなど意味不明だ」と。

しかし、「意味不明」と申し上げましたのは、「日本人の価値基準に照らして考えれば」ということであって、こうして彼らアメリカ人の歴史背景から探っていけば、なぜ彼らが「意味不明」な言動を取るのかを知ることができます。

彼らにとって、謝罪は「死」そのものなのです。

どんな詭弁を弄《ろう》しようが謝罪だけは絶対にしません。

謝罪しないことが彼らの誇りなのです。

このように、日本人とアメリカ人では、もう隔絶的に価値観が違うのです。

「理解する」など不可能

巷間、「環境が違っても人種が違っても、みな同じ人類ではないか。お互いに理解し合えるはず！」などという美辞麗句が盛んに叫ばれています。

しかし、そんなものは偽善であり、きれい事にすぎません。

隔絶した環境の中で育った者同士が理解し合うなどまったく不可能です。

むしろ逆です。「同じ」だと思うから腹も立つ。

理解しようと思うから争いが絶えないのです。

これは「男と女」の関係にも似ています。

たとえ同じ日本人であっても、「男と女」という違いだけで、その価値観は隔絶したものになります。

お互いに愛し合って夫婦となっても、ずっと同じ屋根の下で暮らしていれば、価値観の違いによって、お互いに何の悪気がなくても相手に不快な思いをさせてしまうことがあります。

このときに、相手の言動を「理解」しようとすると、しょせん「男と女」、その隔絶的な価値観の相違によって、お互いの言動が理解できずにケンカになります。

筆者も結婚当初はよく夫婦ゲンカをしたものでしたが、あるとき、ふと考えました。

「そうか、理解しようとするからダメなんだ。

女は、男とはまったく隔絶した価値観を持っている。

理解なんか、はなからとうてい無理なんだ！」

そこで、「理解しよう」とするのではなく「受け入れる」ことにします。

「なんでこんな言動をするのか、まったく理解不能だが、
でも、女ってこういう生き物だもん、しゃあない！」

一種の〝悟りの境地〟とでもいいましょうか。

こうして妻の言動は結局「理解」はできませんが、それを「受け入れる」ように心掛けたところ、ケンカすることもピタリとなくなったものです。

違う存在として「受け入れる」

これと同じように、価値観の違う異民族同士がうまくやっていくためには、お互いの歴史を学び、お互いの民族的価値観を知り、そのうえで理解はできなくてもそれを「お互いに受け入れる」しかありません。

アメリカ人は平然といいます。

「あの原爆で〝罪なくして死んだ者〟などひとりたりともいない。死んだ者は例外なく〝死に値する罪深き者ども〟だ。なぜならば、慈愛深き全智全能の神が罪なき者を死に至らしめるような、そんな無慈悲なことをお赦《ゆる》しになるはずがないからな！」

こんな言葉を「理解」などできましょうか。

ややもすると、殺意すら湧いてきかねない発言です。

「ならば、ニューヨークのまん中に原爆を落としてみせよ！〝罪なき者〟はひとりも死なないんだろう⁉」――と。

しかし、彼らとこれからも付き合っていくつもりがあるならば、「そういう価値観の民族」として受け入れるしかありません。

こちらがどんなに要求しようとも、彼らが謝罪することなど決してありません。要求すれば、ただケンカになるだけです。

だからこそ、オバマ大統領の広島訪問にはたいへん驚かされました。

アメリカ合衆国大統領が広島を訪問するなど、これから1000年経《た》ってもないだろうと思っていたからです。

その理由を考えてみましたが、第一に、オバマ大統領の個人的な〝功名心〟。「伊勢志摩サミット」が開催されていたころ、すでにアメリカ国民の心は「次期大統領」に移っており、オバマ大統領はすでに政治的に死に体で、「最後に〝史上初〟の勲章を後世に残したい」という〝功名心〟があった可能性は否定できません。

第二に、オバマ大統領の血。

彼が（国籍はともかくＤＮＡ的に）生粋《きっすい》のアメリカ人でなかったことは大きかったかもしれません。

オバマ大統領は、ムスリム（イスラーム教徒）の父に育てられた黒人ハーフです。

もし彼が生粋のアメリカ人（ＷＡＳＰ）の大統領であったならば、どんなに功名心があったとしても、広島を訪問することは断じてなかったでしょう。

そうした意味では、「アメリカ史上初の黒人大統領」というのは、日本にとって意味深いものとなりました。

PART 2

歴史の〝必然〟には逆らえない

何人たりとも自然の摂理には逆らえません。
人間の営みも同じです。過去に学ばず、
独りよがりの振る舞いをすれば、必ず痛い目を見ることになるのです

CHAPTER
04

現代「民主制」の機能不全は歴史的潮流

何度も繰り返される政治家の汚職。
「わずかな汚職に目くじらを立てて選挙に何億円もの税金を使うとは、愚かな！」という声も聞こえてきましたが、人間の作ったシステムに完璧なものなどあるはずもなく、民主主義とは、こうした「無駄」も含めた制度だということを理解しなければなりません。

毎回毎回、汚職が発覚するたびに国民は感情的になって「汚職をした政治家本人」へと憎悪を向け、彼らを辞任に追い込むと溜飲《りゅういん》を下げていますが、それでは何の解決にもなっていないことに気がついていません。

怒りを向ける方向が間違っています。

汚職がはびこるのは、その人個人の資質に問題があるというよりは（それもありますが）、「システム自体に欠陥がある」ためです。

この「システム欠陥」を修正しない限り、不毛で無駄なことの繰り返しが延々と繰り返されるだけです。

では、「システム欠陥」とは、いったい何のシステムに欠陥があるというのでしょうか。

選挙システム？　政治システム？

いえ、そのすべての土台となっている「民主主義そのもの」です。

我々は物心つくころからひとつの〝洗脳教育〟を受けてきています。

それは「民主主義は絶対正義」という理念。

それはもう、全国民が徹底的にそうたたき込まれていますから、今の日本で「民主主義の欠陥」を叫ぼうものなら、総攻撃を受けてしまいそうな雰囲気《ニューマ》が蔓延《まんえん》しています。

制度は必ず古くなる

しかしながら、この宇宙に〝永遠なるもの〟など存在せず、ましてや、たかが人間が思いついた「制度」など儚《はかな》いものです。

そもそも「制度」というものはひとつの例外もなく、その時代、その国、その環境に適合して生まれるものです。

農耕民族には農耕社会に適した制度が生まれ、遊牧民族には遊牧社会に適した制度が生まれるだけのことです。

その社会基盤はつねに変動するものなのに、制度は固定されがちですから、その社会基盤が変わるにつれ、制度は徐々にこれに適合できなくなり、うまく機能しなくなっていきます。

こうした状態を「制度が古くなった」と表現します。

――幕末。

250年つづいた幕藩体制も時代の流れには勝てず、徐々に古くなり、制度と社会の歪《ひず》みが大きくなって、それがその中で生きる人々を悶絶《もんぜつ》させるようになっていました。

にもかかわらず、「幕藩体制も古くなった、もう封建社会も先はないな」などと考えた人物は日本国中探しても数えるほどしかおらず、「幕藩体制がこれからも未来永劫《えいごう》つづく」と無批判・無検証のまま信じて疑わない人がほとんどでした。

洋の東西を問わず古今を問わず、人は「制度」を過信し、これにしがみつこうとするものです。

おのれを苦しめている元凶こそが、今自分がしがみついている「古い制度」なのに、それに気づくことのできる人は多くありません。

これは、「幸せになりたい！」と〝エセ宗教〟にしがみついている信者にも似ています。

自分を不幸にしている元凶こそ、そのエセ宗教であるにもかかわらず、本人だけがそれに気づいていない状態です。

遊牧民が育んだ民主制

もちろん「民主制」とて例外ではあり得ません。

現在、民主制を育《はぐく》んだ「前提条件」が崩れてきています。

民主主義から派生するものすべてがうまく機能しなくなりつつあるのはそのためです。

そもそも「民主制」というのは、貧しく、社会が不安定で、政治経済がシンプルで、つねに部族が存亡の機にさらされていた厳しい環境の中に生きていた遊牧民の中から生まれた制度です。

豊かで、社会が比較的安定していて、複雑な政治経済機構を有していた農耕社会からは、千年万年の時間を経ようが、自然発生的に「民主制」が生まれることは断じてありません。

判断をひとつ間違えるだけで、部族全体が存亡の機にさらされる環境にあった遊牧民には「専制君主」は馴染《なじ》みません。

たった1人の専制君主の独断のために、部族そのものが亡ぼされてはたまらないからです。

さらに、すべての民が貧しく、政治の荒廃が彼らの生活に直結する社会であったが故に、つねに国民は「政治」に関心を寄せます。

だからこそ、物事はみんなで話し合って決め、決定したことはみんなで責任を分かち合う。これなら、万一失敗したとしてもみんなで決めたことですから、納得がいくというものです。

こうして彼ら遊牧社会の中から「民主制」システムが自然と育まれていったのです。

民主制の動揺①——英雄が現れた場合

したがって、「貧しい」「社会政治経済システムがシンプル」「部族は存亡の機に立たされている」という社会背景の中に育まれた民主制は、その前提条件が崩れたとき、たちまち揺らいでいきます。

たとえば、稀《まれ》に彼らの中から、アッティラ大王やチンギス・ハンなど、英主・英雄が現れて、部族勢力が強大化することがあります。

そうなると彼らは、「部族が存亡の機にさらされる」という心配がなくなるため、民主制の伝統を持つ彼らですらあっさり民主制をすて、英雄に独裁権力を与えて大暴れすることになります。

それが「アッティラ帝国」となってローマ帝国を亡ぼす元凶となり、ヨーロッパを古代から中世へと移行させるきっかけともなりましたし、それが「モンゴル帝国」となってユーラシア大陸全域にわたって覇を唱え、世界を中世から近世へと移行させるひとつの契機となっていきました。

もっとも、「英雄」が現れることは古今稀であり、英雄が去れば、彼らは再び民主化して草原地帯へと戻っていくことになります。

民主制の動揺②――危機が去り、豊かになった場合

また、たとえば、まだ遊牧民の名残を色濃く残していた古代ギリシアのアテネにおいて、当時、地の果てまで支配していたアケメネス朝ペルシア帝国が攻め寄せて

きたことがありました。

いわゆる「ペルシア戦争（紀元前５００〜紀元前４５０年ごろ）」です。

この「国家存亡の機」にあって、アテネは軍事的に圧倒的不利な立場にありながら、民主制を見事に機能させて、陸に（マラトンの戦・プラタイアイの戦）海に（サラミス海戦）これを打ち破ることに成功しています。

よくペルシア戦争は「専制政に対する民主政の勝利！」と叫ばれますが、当たらずといえども遠からず、故《ゆえ》なきことでもないのです。

ところが、ひとたび国家危機が去り、この功によって全ギリシア（スパルタ圏を除く）の軍事同盟「デロス同盟」の盟主となり、その同盟拠出金を着服して巨万の富を得、絶頂を極めるようになると、その「豊かさ」を背景として、アテネ市民はたちまち政治に関心を失っていきました。

民主制の社会基盤である「貧しさ」や「国家存亡の機」がなくなった途端、民主制は揺らぎ、その結果、舌先三寸で市民を煽動《せんどう》する「煽動政治家《デマゴーゴス》」が跋扈《ばっこ》するようになります。

彼らは、ただただ市民が喜びそうな演説を繰り返すだけ。

そこに政治ポリシーも理念もない、ただの〝権力欲と物欲しかない政治屋〟が政界を牛耳《ぎゅうじ》るようになって、「民主制」はたちまち形骸化《けいがいか》していきました。

こうした「煽動政治家《デマゴーゴス》に翻弄《ほんろう》され、形骸化した民主政治《デモクラティア》」のことを「衆愚政治《オクロクラティア》」と呼びますが、それでもアテネは「民主制という形式」に執着しつづけ、亡国の途《みち》を転がり落ちていくことになります。

このように「民主制」もまた、他のすべての制度と同じように、汎用性《はんようせい》があるものでも永続性があるものでも、ましてや絶対的な存在でもなく、拠《よ》って立つ社会基盤がなくなれば、たちまち機能しなくなるものなのです。

民主制の前提が崩れた日本

すでに制度が形骸化し、機能しなくなっているのに、これにしがみつくならば、アテネと同じ轍《てつ》を踏んで亡びゆくことになります。

ほかでもない、今の日本のことです。

現代日本を見渡せば、「民主制の前提条件」がことごとく消え失《う》せています。

まずは「貧しさ」の消失。

戦後、日本は「奇跡の復興」を成し遂げ、大量生産・大量消費が当たり前の世の中となり、人々はホンのすこし前まで想像すらできなかったような豊かな生活を手に入れました。

それは、わずか150年ほど前の大名や将軍ですら味わうことができなかった豊かさです。

こうして、「貧しさ」というひとつの前提条件が失われたことによって、日本人もまたアテネ市民同様、政治的関心を失います。

民主制を支える絶対条件のひとつは、「国民一人ひとりによる熱烈な政治への関心」です。

国民が政治への関心を失ったとき、民主制はたちまち形骸化し、「煽動政治家《デマゴーゴス》」が跋扈《ばっこ》し、衰亡していく運命から逃れることはできません。

現代日本に煽動政治家《デマゴーゴス》が跋扈しているのはこのためです。

煽動政治家《デマゴーゴス》を排除することができるのは「国民による弛《たゆ》まぬ監視」だけです。

だからこそ、民主国家では盛んに「国民は政治に関心を持とう！」「選挙に参加しよう！」と叫ばれます。

しかし、そのスローガンもいまや虚しい。

なんとなれば、現在の政治・経済・社会のシステムが信じられないほど複雑化しすぎてしまって、もはや国民には手に負えないものになってしまっているからです。

「民主制」が育まれた古代の遊牧民の社会・経済のシステムはまさに「シンプルそのもの」で、誰にでも理解できるものでした。

それ故、「国民の下々の者まで政治に参加する」という民主制システムが成り立ち得たのです。

政治・経済が「手が付けられない怪物」に

ところが、時代が下っていくにつれ、この前提が崩れていきます。

どんどん社会システムが複雑化していき、徐々に「子供のころから徹底的に英才教育を受けた者」くらいしか、政治運営ができなくなっていきます。

そこで、王侯貴族という特権階級が生まれ、彼らが親から子へと「帝王学」をたたき込むことで独占的に政治・経済を運営するようになり、民主制はじわじわと形骸化していきました。

その反動として、フランスでは革命が起き（1789～99年のフランス革命）、庶民（第三身分）が特権階級（第一・第二身分）から力ずくで政権を奪ったことがありました。

「民主制」という観点から見れば、「政権を再び庶民の手に取り戻した」ということを意味し、よろこばしいことのはずです。

しかしその結果は悲惨でした。

彼ら第三身分はまったく「政治」というものを理解できず、ただただ稚児《ちご》のごとき「理想」を政治に適用しようとしたため、混乱に拍車をかけ、収拾のつかない混乱を招いただけとなります。

国民は怨嗟《えんさ》の声をあげ、王朝時代を懐かしむようになったほど。

革命政府の人たちが「もはや庶民では運営できないほど社会が複雑化している」という事実に気がつかなかった悲劇でした。

ところが、現代ではもはや、フランス革命のころなど比較にならないほど世の中のシステムが複雑化してしまい、国民はおろか、どんなに英才教育を施された者であろうが、これを理解できないほど、政治・経済が「リヴァイアサン（手が付けられない怪物）」と化してしまいました。

もはや政治家ですら、どういう施策をすれば現状の社会問題・政治問題・経済問題・外交問題を打開できるのかわからない。

そこでたいていの政治家は、政治アナリスト・経済アナリストといった専門家たちを抱え、彼らに助言をもらうようになっています。

しかし、今やその専門家たちですら（仕事柄わかったふり、あるいはわかっていると自分では信じていますが）じつは何もわかっていないという惨状です。

もやは政治家は「占い」に頼るしかない？

現実問題、よく書籍やテレビなどで経済アナリストと自称する者たちが経済の行く末を分析していますが、当たった例《ためし》がありません。

政治家が頼りにした専門家ですら、「当たるも八卦《はっけ》、当たらぬも八卦」レベルのアドバイスしかできないため、なんと、政治家の中には「占い師」に頼る者が現れる始末です。

レーガン大統領をはじめ、歴代のアメリカ合衆国大統領が「占い師」の助言で政治を左右させたことは有名です。

人類がまだ国家建設をはじめたばかりで国家運営のノウハウの蓄積がなかった古代においては、「神権政治」と言って、占い師に頼ったことがありました。

たとえば、中国最初の王朝「殷《いん》」による「亀卜《きぼく》政治」は有名です。

亀の甲羅に穴を開け、これを火であぶってできたヒビの形で政治を占っていたのです。

それが古代なら、「占いで政治⁉ 古代は牧歌的でえぇのぉ！」と笑い飛ばすこともできましょう。

しかし、こんな幼稚なオカルトに頼った政治が現代においても行われているようでは笑い話で済まされません。

国民は選挙で政治家を選んだのに、その政治家は占い師に頼って政治運営を行ったのでは、「世界を牛耳っているのは占い師」ということになってしまいます。

それもこれも、専門家ですらまったく手に負えないほど、政治が難解になってしまったためです。

それほど難解な政治・経済を、無知蒙昧《むちもうまい》な庶民が理解できるはずがありません。

しかし民主制とは、そうした「政治も経済もチンプンカンプンな国民」に決定権を与えて政治運営しようというものですから、こんなものがうまく機能するはずがないのです。

民主制とは「政治も社会も経済も、下々の者にまでよく理解できるほどシンプルであった古き佳《よ》き時代」の遺物です。

政治がリヴァイアサンと化した現代にはまったく馴染まなくなっているのですが、見わたせばそのことに気づくことなく、民主制に必死にしがみつく者たちばかり。

もう時代はとっくに変わっているのに、幕藩体制に必死にしがみついていた幕末の武士となんら変わりません。

すでに民主主義は機能していない!?

こうした「形骸化してしまった民主制」の中で、選挙に勝つためにはどうすればよいか。

もはや「深謀遠慮な優れた政見を持つ志高き高潔な人物」では勝てません。そんな「深慮ではあるが難解な政見」など国民が理解できないからです。それより、如何《いか》に「見栄えのする、国民が喜びそうな耳当たりのよいきれい事を述べ立てるか」が重要で、その言葉に「意味」があるかどうかなど二の次、さらにそれをどんなバカでも理解できるように、できるだけ短いスローガンにして繰り返し繰り返し叫ばせるのが最も効果的です。

――イエス、ウィキャン！

――チェンジ！

満面の笑みでこう叫んで熱狂する民衆を見るにつけ、「民主主義の屍《しかばね》」を見せつけられているような陰鬱《いんうつ》な想いにさせられますが、衆愚政治《オクロクラティア》においては、このやり方が最も効果があるので、こうして当選するのはいつも「典型的な煽動政治家《デマゴーゴス》」ばかりとなります。

たとえば、2020年に話題になった東京都知事選を見てみても、小池百合子《こいけゆりこ》女史はニュースキャスター出身。

前任の舛添《ますぞえ》氏は政治学者崩れのタレント出身。

その前任の猪瀬《いのせ》氏は作家出身で、さらに前任の石原慎太郎《いしはらしんたろう》氏は弟に有名な俳優を持つ作家出身。

さらにその前任、青島幸男《あおしまゆきお》氏もタレントで作家でした。

歴代、立候補する前からすでにかなり名を売っていた人たちばかりで、しかも学者・作家といった「大衆を言いくるめることが得意の弁の立つ職業」です。

何度選挙戦が行われようとも、舌先三寸で大衆を翻弄するのみで、政治手腕に疑問符の付く人間ばかりが選出されること自体、すでに民主制が機能していないことを示しています。

民主制に代わる新時代の政治システムとは？

今の日本は、民主政治が機能しなくなり、煽動政治家《デマゴーゴス》が跋扈していた古代アテネの「衆愚政治《オクロクラティア》」そっくりです。

もし我々が「すでに古くなって使い物にならなくなった民主制」にこれからもしがみつきつづけるなら、アテネの轍を踏むことになるでしょう。

もはや、「民主制に代わる新しい政治システム」を模索していかなければならない、まさに「時代の変換期」に我々は生きています。

その意味では、「幕末維新期の日本」と同じですが、幕末維新のころの日本と違うのは、あのころの日本は「欧米の政治システム」という〝手本〟がありました。

したがって、そのマネをすればよかったのですが、現代は民主制が機能しなくなってきているのに、いまだ次に迎えるべき「新時代の政治システム」が何なのか、一向に見えてきません。

まだまだ、我々が政治に絶望させられる日々がつづくことでしょう。

――日本の未来は暗い。

でも、ひょっとしたら！

もはや、政治・経済が人間の手に負えなくなってきているのですから、「すべてコンピューターに委《ゆだ》ねる」という時代が来るかもしれません。

奇《く》しくも現在、世界最高峰のスパコンが数千年かけて行う処理をほんの数秒で処理することのできる「量子コンピューター」というものが実用化目前だそうです。

これにＡＩを載せ、人類の歴史・政治・社会・経済の情報をすべて入力して、学問の壁を越えて統合的に分析《アナライズ》させれば、つねに最善の政治判断が可能となるでしょう。こうしてＡＩに政治を任せる「電脳制」とも呼ぶべきものが、「民主制」に代わる新しい時代の政治システムとなるかもしれません。

とはいえ、それを実現させるにはまだまだ技術が追いついていませんし、それによる別のさまざまな問題発生も予想されます。

民主制が時代に合わなくなったにもかかわらず、「次」が見えてこない時代。

これから人類はどこに向かおうとしているのでしょうか。

CHAPTER 05

謝罪会見に見る「小出し遅出し」の愚策

人は「被害をできるだけ少なく抑えよう」と目先の損得に目を奪われるがあまり、「小出し遅出し」になりがちです。しかし、それをやったが最後、確実に身ぐるみはがされることになります。タイミングを逃してはなりません。

２０１６年の正月明け早々のことでした。

突如として降って湧《わ》いたように、人気タレント・ベッキーの不倫騒動が世間の耳目を集めることになりました。

彼女の行動やＬＩＮＥのメッセージがスッパ抜かれ、彼女は世間から非難囂々《ごうごう》、火だるまの状態です。

そこで彼女は事を鎮静化するべく、すぐに謝罪会見に臨みました。

――お付き合いということはなく、

友人関係であることは間違いありません。

一切の質問を受けつけず、一方的に報道を否定しただけ。

これはいただけません。

歴史を紐解《ひもと》きますと、名君の傍《かたわ》らには必ずといっていいほど〝名参謀〟がついているものですし、逆に暗君の周りには佞臣《ねいしん》がはべっているものです。

この会見を見れば、ベッキーの事務所にすぐれた助言者がいないことは明白です。

――孫子に曰《いわ》く、「小出し遅出しは兵法の愚」。

孫子に限らず、クラウゼヴィッツも洋の東西を問わず、これはけっして犯してはならない愚策として、厳に諫《いさ》められています。

人は「被害をできるだけ少なく抑えよう」と目先の損得に目を奪われるがあまり、「小出し遅出し」になりがちです。

しかし、それをやったが最後、確実に身ぐるみはがされることになります。

ベッキーの謝罪会見は、この「小出し遅出し」の典型といってよいでしょう。

2019年の、雨上がり決死隊の宮迫博之《みやさこひろゆき》の「闇《ヤミ》営業問題」。

彼もまた、事件が発覚した際、なんとか傷を浅くしようと姑息《こそく》に走り、ついつい実際には受け取っていた報酬《ギャラ》を「受け取っていない」と全否定してしまいました。

これで「ゲーム・オーバー」。

一度嘘をついてしまうと、その嘘が明らかになったとき、もはや取り返しのつかない窮境《きゅうきょう》に陥ることになるためです。

彼もまたベッキーと同じ過ちを犯してしまったのでした。

物事、退くときは一気に、しかもタイミングを逃してはなりません。

では、ベッキーや宮迫はどうすればよかったのでしょうか。

妾の数を〝多く〟言い放った三木武吉の場合

たとえば。

謝罪会見といえば、終戦直後の日本でもこんな話があります。

昭和27年の衆議院総選挙において、三木武吉《みきぶきち》という候補が立候補したとき、その演説会において対立候補が、

「この男女同権の世にあって、ある有力候補のごときは妾《めかけ》を4人も持っている！こんな不道徳な者に政治家たる資格はないと思われる！」

……と演説し、妾を抱える三木を誹謗《ひぼう》してきたことがありました。

次に壇上に立った三木はこれに答えます。

「さきの候補から〝4人の妾《めかけ》を持っている〟と言われたのは、不肖《ふしょう》この三木武吉でありますが、それは違います。ここにはっきりと訂正させていただきたい！」

そう否定してみせたかと思ったら、その直後、彼は言い放ちます。

——正しくは5人です！

謝罪するわけでもなく、恐縮するわけでもなく、堂々と肯定してみせて、なおかつ聴衆の笑いを誘う。

三木候補はさらに畳みかけます。

「彼女たちは全員、今では老いさらばえてしまっておりますが、だからといって、ババァは用済みとばかり彼女らを棄て去るごとき不道徳は、この三木にはできません！

ですから、今日も全員きっちりと養っております。

そもそも政治家として国民を引っぱっていこうという者が、いっぺんに何人もの女をケンカもさせず、嫉妬もさせず、操るくらいの器量がなくて、国民を引っぱっていけるはずもありません！」

これには聴衆も拍手喝采《かっさい》。

三木武吉は見事当選を果たし、彼を攻撃した候補の方が逆に落選してしまいました。

このように、「相手から攻撃を受ける立場に置かれながら、こちらからは反撃できない」という状況に陥ったときは、こちらが敵意を見せればただ袋叩きに遭《あ》うだけで、かといって嘘をつけば曝露《ばくろ》され、逃げ隠れればどこまでも追及してきますから、そのどれも「悪手」です。

正解は、まず相手の望む答えを全面的に認めて相手の溜飲《りゅういん》を下げさせつつ、こちらには敵意がないことを示すこと。

しかし、それだけでは足りません。

全面的に非を認めたとしても、ただ神妙に頭《こうべ》を垂れるだけでは相手は攻撃の手を緩めませんから、その第二手として「相手の敵意を削《そ》ぐ」方策を打たなければなりません。

同じ「不倫」をスッパ抜かれた芸能人でも、その後、生き残りを果たすことができるか、消えていくかはそこで決するといっても過言ではありません。

ただちに不倫を認めたにもかかわらず、記者会見ではただただ恐縮し、神妙にしていたアンジャッシュの渡部《わたべ》は干され、記者会見で笑いを取った三遊亭圓楽《さんゆうていえんらく》は生き残ることができたのもそこに理由があります。

「有罪」を認めたヒトラーの場合

もうひとつ例を挙げてみましょう。

知らぬ者とてなき、かの有名なA《アドルフ》・ヒトラー。

彼もまた若いころ、追い詰められたことがありました。

彼はムッソリーニに憧れ、彼の行った政変《クーデタ》「ローマ進軍」をまねて、「ベルリン進軍」を強行しようとしたことがありましたが、ものの見事に失敗。

これこそがあの有名な1923年の「ミュンヘン一揆」です。

これはれっきとした「国家反逆罪」でしたから、有罪となれば終身刑は確実。

裁判にかけられたヒトラーは、裁判長から促されて被告人席に上がり、罪状認否が行われます。


「被告人。被告人は今読み上げられた罪状を認めますか？」


ここで罪状を認めるか認めないかは、裁判全体を左右する重要なものです。

裁判所に居合わせた者全員が固唾《かたず》を呑《の》んで、ヒトラーの言葉を待ちました。

――Ich《イッヒ》 bin《ビン》 schuldig《シュルディッヒ》!(私は有罪です)

裁判所にどよめきが走ります。

その場にいた誰もが、当然ヒトラーは「Ich《イッヒ》 bin《ビン》 unschuldig《ウンシュルディッヒ》!(私は無罪です)」とまくし立てると思っていたためです。

自分で「有罪」だと認めるなら話は早い、即決で終身刑です。

しかし。

このことによって、裁判所の空気は一変しました。

もしここで彼が開口一番「私は無罪だ!」と叫んでいたら、そのあとどのような展開が待ち受けていたでしょうか。

「お～お～、これからヒトラーの聞き苦しい言い訳が始まるぞ!」

こうして、それからつづくヒトラーの言葉に誰もまともに耳を傾けなくなったことでしょう。

ところがここで、自ら「有罪です」とあまりにも意外な言葉を発したことで、聴衆も裁判官も「いったいヒトラーはこれから何を言うのだ?」と真剣に耳を傾けるようになります。

こうなれば、あとはヒトラーの独壇場。

ここからヒトラーは得意の演説で持論をまくし立て、裁判所にいる聴衆はもちろん、裁判官すら、そして裁判を新聞で知ったドイツ国民をも魅了していくことになりました。

彼の「第三帝国」への第一歩は、まさにここから始まったといってよいでしょう。

三木武吉もA《アドルフ》・ヒトラーも、見事に「失敗を成功に変える」ことに成功しました。

その最初の一手は二人とも同じ、「まずすべてを認める」という点です。

人間は清廉潔白ではありません。

失敗もある、人に知られたくないやましいこともある。

そして、そこを曝露され、追及されることもあるかもしれません。

しかしそのときの対処は、「一気に退いてから、一気に押す」ことが大切だと、歴史とベッキーの会見が教えてくれます。

その人のことは他人には決してわからない

ところで、ここまで謝罪会見に立たされた側の視点から見てきましたが、今度は視点を変えて、彼女を〝叩いている〟一般大衆側に視点を移してみてみましょう。

今回の事件が曝露されたとき、世間の評判は散々でした。

――不倫だなんて、サイテー！

――今回のことでベッキーが大嫌いになった。

顔も見たくない！

――かわいい顔してなんて腹黒い女！

さらに、不倫報道の第一報のときにはベッキーを擁護していた人たちですら、第二報で、

「友達で押し通す予定！（笑）」

「不倫じゃありません」

「略奪でもありません」

「ありがとう文春！」

「センテンススプリング！」

……というベッキーのLINE文面が曝露されると、「もはや擁護のしようがない」とばかりに一斉に退いていき、ベッキーは四面楚歌《しめんそか》状態。

しかしながら、筆者はどうしてもベッキーを責める気にはなれません。

なんとなれば、筆者はベッキーのことをよく知りませんし、事件の全貌《ぜんぼう》もよくわからず、そんな状態で人を非難することは、とてつもない誤解と悲劇を生むからです。

「人間」というものは、この世に生まれ落ちてから、もともと生まれ持った性別、性格、肉体、両親、そしてその後の環境、人間関係、さまざまな経験によって形成されるものであって、他人がその人のすべてを知ることはほとんど不可能です。

しかし、もしその人の人生をよく検証してみたら、一見「悪者」と思われていた人物が、じつはすごく同情に値する人物であることもよくあることです。

歴史を紐解いてみても、そうした例は枚挙に遑《いとま》がありません。

チンギス・ハンの長男ジョチの場合

たとえば。

13世紀のユーラシア大陸はモンゴル帝国が席巻《せっけん》していました。

帝国の基礎を築いたのは、言わずもがな、チンギス・ハン。

そして大きく成長した子供たちが前線で戦いつづけ、日々、その領土を広げていたころです。

チンギス・ハンの長男ジョチもその1人で、あるときチンギス・ハンはジョチに「おぬしはさらなる西方を征服せよ」とカザフスタンやロシアの地への遠征を命じています。

しかし、これには〝含み〟がありました。

それが何であるかを知るためには、刻《とき》を半世紀ほど遡《さかのぼ》らなければなりません。

まだチンギス・ハンが新婚時代だったころ、妻ボルテが突然メルキト族の襲撃を受けて拉致《らち》されてしまったことがありました。

半狂乱になったチンギス・ハンは妻《ボルテ》を取り返すべく、東奔西走して兵力をかき集め、メルキトを攻め滅ぼします。

その結果、妻《ボルテ》の奪還には成功しましたが、このときすでに彼女は妊娠していたのです。

頭を棍棒《こんぼう》で殴られたかのようなショックを受けるチンギス・ハン。

逆算してみると、ちょうど彼女が拉致された前後に受胎していることがわかり、我が子の可能性も捨てきれない。

――しかし、メルキト族の子かもしれない……。

チンギス・ハンは苦悩に苦悩し、やがて産まれてきた子に「ジョチ」と名づけます。

これは「よそ者」という意味で、父チンギス・ハンから「メルキトの子」だと認定されたようなものです。

哀れ、彼はこの世に産まれ落ちてから死ぬまでずっと、すべての者から「よそ者」「よそ者」と呼ばれつづけることになったのでした。

そうした経緯もあってか、ジョチは自分が「父上の子である」ことを証明しようとしているがごとく、つねに最前線で誰よりも勇敢に戦いつづけます。

それから幾星霜《いくせいそう》。

チンギス・ハンも老い、後継者問題がクローズアップされたとき、本来なら長男として跡継ぎの最右翼であるはずのジョチは、やはり「出生問題」が尾を引き、後継者争いから脱落、次男チャガタイは人望なく、結局、三男オゴデイが後継者に決まりました。

ジョチの落胆と絶望は察するに余りあります。

「私はこれまで誰よりも勇敢に、つねに最前線で戦ってきた。

それもこれも、父上の子であることを証明しようとしてきた故であったが、ついに父上には認めてもらえなかったのか！」

そうした折にチンギス・ハンから告げられたのが、先の命令「さらなる西方を征服せよ」です。

これは、今の企業でいえば「地方の営業所に飛ばされた左遷」のようなもの。

ジョチを中央から遠ざけることで、「後継者は諦めよ」という含みがあったといってよいでしょう。

チンギス・ハンの後悔

こうして継承問題も決着。

ところが、安心して帰国の途についたチンギス・ハンの下に報告が入ります。

「ジョチ様は一向に軍を動かす気配がない模様！」

――何⁉ どういうことだ？

ジョチめ、余の命令が聞けぬと申すか⁉

西の果てに遠ざけようとしていたチンギス・ハンの意図に反して、軍を動かさないということは、これは謀反《むほん》の疑いが濃厚です。

「ジョチめ、後継者に指名されなかったことを恨みに思ったか……。

やはりメルキトの血が余に歯向かわせるのか⁉」

怒り心頭のチンギス・ハンでしたが、一応言い訳を聞くための使者を立てたところ、帰ってきた返事が「重病にて」。

重病なら仕方ありませんが、「出仕したくないが故の仮病」などよく使われる手です。

そこでさらに探らせたところ、「ジョチ様は毎日狩りを楽しまれ、壮健そのものの由《よし》！」との報告が入ります。

「病などやはり虚言であったか！

おのれ、ジョチめ！　余を謀《たばか》りおって！

ただちに出兵の準備をせよ！

これよりジョチを討伐する！」

しかし、まさにチンギス・ハンがジョチ討伐軍の準備をさせている最中に、ジョチからの使者がやってきました。

――なんじゃ！　いまさら言い訳など聞かぬぞ！

「そうではありませぬ。ジョチ様、逝去！」

チンギス・ハンは我が耳を疑いました。

――このうえまだ余を謀るつもりか！

毎日狩りに興じ、ピンピンしておると物見から報告がきておるわ！

「いえ。ジョチ様は、後継者が決まったころから急速に容態を悪くされており、最近は危篤《きとく》状態でありました。死の間際にあっては〝余は父上の子である〟と繰り返し……」

使者の嗚咽《おえつ》を受けて、チンギス・ハンの慟哭《どうこく》が響きます。

――おお、許せ、ジョチよ！

そちを疑った余が悪かった‼

父に信頼を得ようと、ただただ人生を賭《か》け、骨身を削って父のために前線で戦いつづけたジョチ。

すでに身も心もボロボロ、満身創痍《そうい》だったのでしょうが、それでも戦いつづけてきたジョチ。

しかし、その努力もついに認められないと知ったとき、その絶望感が一気にジョチの体を蝕《むしば》んだのかもしれません。

ジョチは、父の疑念の中で産まれ、それを晴らすべく人生を賭けて戦ったものの、父の疑念を晴らせないまま死んでいくことになったのでした。

はたから見ている分には、ジョチは「メルキトの子」で、いつ謀反を起こすかわかったものではない反逆予備軍。

父チンギス・ハンからつねに疑いの目を向けられ、ついに信頼されることはありませんでした。

しかし……。

彼ほど全身全霊で父チンギス・ハンに忠誠を尽くした子は他にいなかったでしょう。

父として、もう少しジョチの立場に立って物事を考えてほしかったものです。

批判は事情をよく踏まえたうえで

このように、ジョチ自身にはまったく罪がなかったにもかかわらず、生まれながらにして冷遇され、果ては謀反人扱いされ死んでいきました。

それというのもこれというのも、相手の事情もよく知らずに断片的に耳に入ってきた情報のみを鵜呑《うの》みにしたためです。

――ジョチとは違い、ベッキーは実際〝クロ〟ではないか！

……という声が聞こえてきそうですが、まさにそうした思い込みこそが危険です。

確かに、マスコミから漏れ出る情報だけを見ている分には〝マックロ〟なのを否定するのは難しいでしょう。

「不倫しているにもかかわらず反省のカケラもない、とんでもなくしたたかな女」

そうしたベッキーに対する悪い印象は拭《ぬぐ》い難いものがあります。

しかし……。

チンギス・ハンだって方々に〝草（スパイ）〟を放って情報収集をし、これを分析した結果、ジョチを「クロ」と断定したのです。

それでも判断ミスを犯してしまった背景には、「あやつはメルキトの子だから」という先入観も大きかったことでしょう。

それと同じように、マスコミを通じて漏れ出てきている情報というのは、「売れる記事」を書くために恣意《しい》性が込められていたり、誘導があったりすることが多いため、そうした情報だけをつなげて見るから、そう見えるだけなのかもしれません。

きちんと彼女の生い立ち、家庭環境、人生、はたまた事件の全貌を客観的に知ったとき、たとえ不倫そのものが事実だったとしても、彼女には同情に値する事情があるかもしれませんし、むしろ彼女のこれまでの人生に涙するかもしれません。

ジョチの例を見てもわかるように、断片的な情報だけで判断して安易に攻撃や非難をするのは、チンギス・ハンの犯した過ちと同じ悲劇を生むことにもなりかねません。

こうしたことを歴史から学び、我々はもう少し冷静になる必要があるように感じます。

CHAPTER 06

なぜ米大統領選は〝欠陥制度〟なのか？

「間接投票方式」や「総取り方式」を採り入れたその独特な選挙システムは、かねてから「民主主義を圧殺している」との批判にさらされながらも長らく使いつづけられてきました。じつはその背景には、アメリカ建国の歴史が横たわっているのです。

アメリカの大統領選挙は大きく二段階に分かれ、その年の上半期（2～6月）に「各政党（共和党・民主党）が本選に出馬する候補を1人に絞り込む予備選挙や党員集会」が、そして下半期（9～11月）に「両党から選出された候補者が雌雄を決する本選」が行われます。

さらに選挙自体も二段階方式で、国民が直接大統領候補に投票し、その多数決で決するのではなく、国民が選ぶことができるのはあくまでも「選挙人」。その選挙人が1人1票を以《もっ》て、大統領候補に投票するという間接投票方式になっています。

この選挙人には、全州538人（上下院の議員総数535人+コロンビア特別区定員3人）が割り当てられ、その過半数を取った候補者が、晴れて大統領となることができるのです。

「総取り方式」の〝欠陥〟の裏に建国の歴史あり

ところが、この選挙人の選出方式が我々日本人から見ると一風変わっていて、ほとんどの州（メーン州、ネブラスカ州を除く）では「総取り方式《ウイナーテイクオール》」が採用されています。

これは各州ごとに過半数を取った候補者が、その州に割り当てられた選挙人を「総取り」できるというものです。

たとえばカリフォルニア州に割り当てられた選挙人の定員数は55人ですが、ここで51対49の大接戦であったとしても、選挙人を28人対27人に割り振るということはしません。

1票でも多く取った候補者が55人の選挙人全員の票を取ります。

この方式だと、接戦による勝利も大勝も結果に変わりないため、たとえば「勝った州は接戦が多く、負けた州は大敗が多い」場合、「国民の過半数が反対している候補者が大統領に当選してしまう」というねじれ現象が起こります。

そうした例は実際にあり、最近に限ってもミレニアムイヤー（２０００年）の大統領選で、全得票数でゴア候補が上回っていたにもかかわらず、選挙人獲得数で上回ったブッシュが当選してしまいましたし、２０１６年のトランプvsクリントンのときもそうでした。

これは民主主義に基づく「選挙システム」自体が民意を抑えつけていることになり、「システム欠陥」として、アメリカ国内でも何度も問題視されてきましたが、つねに握りつぶされてきました。

口を開けば「民主主義！」「民主主義！」と声高に叫ぶアメリカが、なぜこんな

「民主主義を圧殺するような選挙システム」を堅持しつづけるのでしょうか。

じつはそこにはアメリカ建国の歴史が深く関わっています。

アメリカ建国の〝幼児体験〟

そもそもアメリカ合衆国というのは、本国イギリスの植民地から独立して生まれたものです。

1763年、イギリスは「フレンチ&インディアン戦争」を制し、北米からフランス勢力を駆逐することに成功したものの、打ちつづいた戦争のために財政は破産寸前でした。

そこでこれを取り戻すべく、北米13植民地に次々と課税をかけていきます。

1764年砂糖法、65年印紙法、67年タウンゼンド諸法、73年茶法――。

こうした矢継ぎ早に制定される新税に、怒り心頭の植民地人がついに反旗を翻《ひるがえ》しました。

――代表なくして課税なし！（P《パトリック》・ヘンリー）

――我に自由を与えよ！

しからずんば死を与えよ！（P《パトリック》・ヘンリー）

――結集せよ！ さもなくば死あるのみ！（B《ベンジャミン》・フランクリン）

こうして勃発《ぼっぱつ》した「アメリカ独立戦争」を乗り越えて生まれたのが、現在のアメリカ合衆国です。

中央（イギリス本国）に反逆して生まれた国であることが〝幼児体験〟となって、この国は中央政府への反骨精神が異常に強いお国柄となりました。

「州」単位の国家連合

したがって、まだイギリスと独立戦争のまっただ中の1777年に可決された臨時憲法「連合規約」は、ことのほか中央政府に対する反発が強く、徹底的に州権的（州に独立国家レベルの主権を与える）なものとなってしまいます。

たとえば、この「連合規約」で中央政府に与えられた権限は「国防権」「外交権」「鋳貨権」くらいで、驚くべきことに「徴税権」や「常備軍保有権」すら与えられませんでした。

なんと、「税金も取れない、軍隊も持てない」中央政府。

これではもはや「主権国家」とは呼べないほど。

それもそのはず、「連合規約」では各州を主権国家と考え、中央政府はあくまで各州の〝取りまとめ役〟程度の位置づけと考えられていたのですから。

通常「合衆国」と訳される「United States」も、直訳すれば「連合国」であって、アメリカは13の「州《ステーツ》」という国家《ステーツ》が寄り集まってできた「連合体」にすぎませんでした。

現代でいうところのEU（欧州連合）のような感じです。

しかし、いくら「地方分権」といってもさすがにこれはやりすぎ。

アメリカ合衆国が成立した直後に「シェイズの乱（1786～87年）」が起こったとき、反乱自体は大した規模のものではなかったにもかかわらず、中央政府はこの鎮圧に難儀します。

如何《いかん》せん、中央政府は常備軍を持っていなかったのですから。

この事件を機に「連合規約」修正の気運が生まれ、1787年、中央政府に強い権限を与えた「合衆国憲法」が成立することになったのでした。

これにより合衆国憲法（連邦主義）を支持する「連邦派《フェデラリスト》」と、連合規約（州権主義）を支持する「反連邦派《アンチフェデラリスト》」という派閥争いが発生することに。

じつはこれこそが、現代に至るまでの「共和党（連邦派系）」と「民主党（反連邦派系）」の二大政党制の濫觴《らんしょう》となります。

「総取り方式」は独立精神の表れ

合衆国憲法の〝揺り戻し〟があったとはいえ、こうした歴史背景から現在に至るまで各州の独立心はたいへん強く、大統領選における「総取り方式」もそうした精神の表れです。

したがって、各州に割り当てられた選挙人をどのように割り振るかは、州に委ねられており、「総取り」にするか「比例割当」にするかは自由なのですが、実際ほとんどの州は「総取り」を採用しています。

なぜなら、州内での結果を1人に絞らず、獲得投票比に合わせて選挙人を出すということは、「州としての統一意志を示さなかった」ということになるからです。

それは「結論を中央に丸投げ」したことを意味し、すなわち「州の独立性を損なう」と考えるためです。

つまり、州単位の「民主主義」を徹底させた結果、合衆国全体としての「民主主義」が反映されないという自己矛盾を抱えてしまっているのです。

トランプ候補の過激発言

ところで、2016年の大統領予備選挙で、民主党はヒラリー・クリントン女史が、共和党はドナルド・トランプ氏が勝ち抜いてきましたが、これは筆者も意外でした。

トランプ氏の発言は、およそ一国の元首のそれではなかったからです。

――メキシコ移民は麻薬と犯罪を持ち込む元凶だ。

よって、メキシコとの国境沿いに〝万里の長城〟のごとき長大な壁を築く。

その費用（1兆円前後）はメキシコに払わせる。

――9・11の際、対岸のニュージャージー州では数千人ものアラブ人が拍手喝采《かっさい》してその光景を称《たた》えていた（事実無根）。

――ムスリム（イスラーム教徒）の入国は全面的に禁止させる。

モスクを閉鎖させ、ムスリムの身辺調査をし、監視体制を敷く。

――イスラームとの戦いのために拷問《ごうもん》を復活するべき。

――イスラム国（IS）には徹底的に爆撃を行う。

――白人によって殺される黒人の数よりも、
　黒人によって殺される市民の数の方がはるかに多い。

　過激、人種差別、事実の混同、無根拠、非現実的な発言のオンパレードで、ただ大衆が喜ぶことを述べ立てるだけの典型的な煽動政治家《デマゴーゴス》です。

　こうした煽動政治家《デマゴーゴス》が政権を獲るのは、民主主義が断末魔の声を上げ、衆愚政治に陥ったときだけであって、きちんと民主主義が機能していればこうした候補者がほんの一時的に人気を博すことがあっても、すぐに底が知れて泡沫《うたかた》のごとく消えていくものです。

　したがって、トランプ氏もそうなるかと思っていましたが、そんな彼が勝ち残ったということは、すでにアメリカの民主主義は死に、完全な衆愚政治《オクロクラティア》に陥っていることを示しています。

　ここに筆者は「以後、アメリカは衰亡の一途を辿《たど》るであろう！」と予言しておきます。

1920年代ドイツ——吠えるヒトラー

歴史を紐解けば、国家が安定しているときというのは国民は無難な政策を望みますが、国家が傾いたとき、トランプ氏のような極端な政策に支持が集まります。

そうした歴史法則に照らし合わせてみても、トランプがごとき典型的煽動政治家《デマゴーゴス》が大統領に選ばれたということ自体が、アメリカの衰亡を示しています。

たとえばドイツの場合……。

1918年11月11日、ついにドイツは白旗を振り、第一次世界大戦は終わりを告げました。

しかし、翌1919年1月から始まったパリ講和会議は、およそ「講和会議」など呼べるような代物ではなく、米・英・仏が敗戦国を貪《むさぼ》りくらう修羅《しゅら》の巷《ちまた》と化します。

こうして成立した「ヴェルサイユ条約」により、ドイツには「1320億金《ゴルト》マルク」という、天文学的な数字の賠償金が課せられ、しかもドイツがその支払いの「猶予《モラトリアム》」を願い出ただけでただちに軍が動員され、ルール地方が占領されるという有様。

政治的には国民の怒りは募り、経済は破綻《はたん》し、分刻みで物価が上がりつづけるというすさまじいハイパーインフレーションが沸き起こり、国民生活は成り立たなくなりました。

こうした政治経済の窮境の中から現れたのがA《アドルフ》・ヒトラーです。

彼は吠えます。

――ヴェルサイユ条約など認めない！

――我々が奪われた植民地を奪還する！

――ユダヤ人を排除せよ！　移民を制限せよ！

――解体されたドイツ軍を再建せよ！

――〝積極的キリスト教〟を支持！

――強力な独裁政府の要求！（以上「二十五ヶ条綱領」より）

彼がこんな主張をし始めた当初、これらの荒唐無稽《こうとうむけい》な主張に耳を傾ける者はあまり多くはありませんでした。

ところが、ハイパーインフレーション（1923年）による国民生活破綻とタイミングを合わせるようにして支持者を爆発的に増やしていき、その10年後、ナチス政権が生まれる足がかりとなっていきます。

デマゴーゴスか、独裁者か

歯に衣着せぬ物言いに、民族の純潔化・人種差別・他民族の排除・無根拠で感情的な過激主張・外敵を強調して危機感を煽《あお》る――ところなど、トランプ氏とヒトラーの言動には非常に似通ったところがあります。

しかし、だからといってトランプ氏を「ヒトラーの再現」だなどと言うつもりはありません。

トランプ氏に、それほどの〝度量〟があるとはとても思えないからです。

こうしたできもしない大言壮語を吐く煽動政治家《デマゴーゴス》は定期的に現れるもので、それ自体は珍しいことでもありません。

ただ、そのほとんどは相手にされないか、何かの間違いで政権をとっても、何一つ公約を実現できないまま、その無能と恥をさらけ出して歴史に埋もれて消えていくだけです。

たとえば、日本で記憶に新しい例を挙げれば、民主党がそうでした。

彼らは、さんざん大言壮語を撒《ま》き散らし、

――一度！ 一度だけ、
我々に任せてみてください！

……と大見得切って与党となりました。

このとき、筆者は民主党が政権獲得する前から、各方面で「民主党に政権担当能力はない！」と公言していましたが、結果はその通りとなり、彼らはモノの見事にその政治無能をさらけ出して、党もろとも崩壊していったものでした。

これは「私の予言が当たった！」と自慢する類《たぐい》のものではなく、ほんの少しでも政治を知る者なら誰でもわかるレベルのことなのですが、当時の日本国民はそんなことも理解できず、こぞって民主党に投票したのでした。

これは喩《たと》えるなら、「自分の乗るジャンボジェット（日本）の操縦（政治）を、ゲームしかやったことのない小学生（万年野党の民主党）に任せたようなもの」で、無知とはさほどに恐ろしい。

アメリカ合衆国の行く末

トランプ氏が「ヒトラー」と比べられるような身分となるためには、そうした非現実的、荒唐無稽とも思える公約を次々と実現する政才を持ち合わせていなければなりませんが、彼にそれだけの才があるや否や（反語）。

もし彼にこうした過激な公約を本気で実現する気があるなら、好むと好まざるとにかかわらず「独裁」しかありません。

そこのところを心得ていたヒトラーは、自己の主張（二十五ヶ条綱領）の中できちんと「独裁要求」を掲げています。

そこにヒトラーの〝本気度〟が表れています。

ついこの間まで専制帝国だった素地と欠陥憲法（ワイマール憲法）を擁していた当時のドイツならいざ知らず、徹底的に民主主義をたたき込まれた国民性と権力分散が徹底された制度のアメリカで、それを実現させるのはほぼ不可能でしょう。

つまり、トランプ氏はやはりヒトラーと比べること自体がおこがましい、どこにでもいる煽動政治家《デマゴーゴス》の1人にすぎない、ということになります。

煽動政治家のはびこる国は、すでに〝亡び〟へと向かっている国です。

ましてや、トランプ氏のようなどこからどう見ても隙《すき》のない典型的な煽動政治家《デマゴーゴス》が合衆国大統領になるようでは、もはや……。

そして彼は必ずや歴史にその名を刻むでしょう。

歴代大統領でも、W《ウォレン》・G《ガメイリアル》・ハーディング大統領、J《ジェームズ》・ブキャナン大統領、U《ユリシーズ》・S《シンプソン》・グラント大統領の「歴代嫌われ者大統領」をブッちぎる最悪の大統領として。

そして、これから始まる本格的な〝合衆国衰亡の起点となった象徴大統領〟として。

ポスト・トランプ

そしてトランプ大統領は、在任中の4年間、公約したほどの経済成長は望むべくもなく（微増）、雇用者増加率はむしろ落ち、彼が守ろうとした白人労働者《ブルーカラー》の所得環境は改善することなく、「双子の赤字（貿易赤字と財政赤字）」は拡大するという、案《あん》の定《じょう》というべきか、大統領選で大口を叩いた公約をことごとく守れないまま、二期目を務めることも叶《かな》わぬまま退陣していきました。

彼は4年間かけて「大きいのは口だけで政治手腕はからきし」という煽動政治家《デマゴーゴス》の典型的特性を如何《いかん》なく発揮したばかりか、大統領選敗北後も「断じて敗北を認めない！」という前代未聞の〝恥の上塗り〟をする小物ぶりを見せつける無様を晒《さら》していきました。

こうしてトランプが撒《ま》き散らした〝負の遺産〟を請け負ったのがJ《ジョー》・バイデン。御歳78の大統領就任前から「老人性痴呆《ちほう》」が心配されている、アメリカ合衆国史上最高齢の大統領です。

トランプ氏には大統領就任当初から「かける期待」など欠片《かけら》もありませんでした

が、では、バイデン大統領はどうでしょうか。

彼には期待できるでしょうか。

その答えも、やはり歴史を紐解くことで見えてきます。

歴史は語ります。

まず第一に、ひとたび傾いた国家を再興《ビルドバック》させることは至難の業《わざ》であること。

そして第二に、ひとたび傾いた国家が再興《ビルドバック》することも歴史上例がないわけではないが、それを成し遂げる者はつねにかならず「若い政治家」であること。

この「二大原則」に気づいたとき、「ポスト・トランプ」に選ばれた人物が選《よ》りにも選って「過去最高齢」の大統領であることは、もはや〝喜劇〟と言ってよいでしょう。

そしてその最高齢大統領がただちに掲げた新たなるスローガンが「望ましき再《ビルド》興《バック》」。

その言葉に、もはや虚しさだけが染みわたる。

どうやらあちらの神様は「アメリカの衰亡」をお望みのようです。

PART 3

この道はいつか来た道

史実を遡《さかのぼ》ってみると、時代や洋の東西を問わず、
同じような出来事が繰り返し起きていることがわかります。
人間という動物は何千年も前から変わっていないのです。

CHAPTER 07

国境を巡る〝弱腰外交〟失敗の歴史

近年、尖閣《せんかく》諸島界隈に中国船が侵入を繰り返し、日本を挑発してきました。その回数、頻度はエスカレートする一方で、今にも尖閣諸島に人民解放軍が上陸するのでは……と不安になるほどです。今、日本はたいへんに殆《あや》うい状態にあるのです。

そもそも国境とは何でしょうか。

じつは今では空気のように当たり前に存在する「国境」も、ほんのつい500年ほど前、近世の幕開けとともにヨーロッパ人が発案したもので、もともとアジアには存在しない概念でした。

18〜19世紀になってヨーロッパ人がアジアに侵略してきたとき、アジア人が〝国境〟という概念を持たないことに目をつけて、これを〝無主の土地〟としてヨーロッパの列強がアジアの領地をサクサクと分割していった結果、アジアにも〝国境〟が生まれたのです。

〝国境〟という概念を持たなかったアジア人

しかし、このようにアジア諸国が植民地化されていく惨状を目《ま》の当たりにした日本（明治新政府）は、あらかじめ国境の重要性を認識できたため、開国と同時に国境策定に奔走しました。

１８７５年、ロシアと樺太《からふと》千島《ちしま》交換条約を結んで北の国境を安定たらしめ、翌76年、南においては「小笠原《おがさわら》諸島領有宣言」を行います。

当時アメリカは、日本開国前（１８５３年）、すでにマシュー・ペリーによって小笠原領有を主張していましたし、これに対してイギリスもその領有を主張しており、あやうく小笠原諸島は米英に奪われる寸前の状態だったためです。

しかし、米英両雄がお互いに牽制し合った結果、米英どちらも「相手国に領有されるくらいなら日本に領有してもらった方がよい」という考えから、日本の「領有宣言」が認められることになりました。

じつは、これら北（対露）南（対米英）の国境策定よりもっと早い段階から動いていたのが、西（対中）の国境策定でした。

1873年、清国（中国）と国交が開かれ、「日清修好条規」が結ばれることになったのですが、この締結にあたって日本は、2年前に台湾で起こった虐殺事件（1871年、宮古島島民虐殺事件）を持ち出します。

「早速ですが李鴻章《リーホンジャン》閣下。過ぐる年、我が日本国民54名が台湾島民に虐殺された件についてですが、かの地（台湾）が清国の領土であるならば賠償金をお支払い願いたい。」

李鴻章《リーホンジャン》は答えます。

――台湾は〝化外《けがい》〟の地、

清国政教の及ばぬところなり！

これは「あんなとこ、中国とはまったく関係ない土地だ！」という意味で、おそらく李鴻章《リーホンジャン》は、賠償金を払いたくないばかりにこんなことを言ったのでしょう。

しかし、それは「台湾海峡が国境だ」と自ら宣言したのと同意となり、自ら莫大《ばくだい》な領域を放棄したことになり、それが「賠償金など遠く及ばぬ莫大な国家損失」となることに李鴻章《リーホンジャン》は気づきませんでした。

これは李鴻章《リーホンジャン》が無能だったからではなく、当時の中国にはまだ〝国境〟という概念が根づいていなかったためであって、それを以《もっ》て彼を責めるのは酷というものです。

しかしこれは、「国境の重要性を理解していない」ということが、とてつもない国家的損失となる好例と言えるでしょう。

明治政府がいち早くその重要性を理解し、対処したのとは対照的ですが、哀しいかな現代日本人は、国境の重要性をまったく理解できなくなってしまっているようです。

尖閣諸島問題に関心が薄いのは、その証左でしょう。

仮道伐虢

「道を仮《か》りて虢《かく》を伐《う》つ」――という言葉をご存知でしょうか。

これは「兵法三十六計」のうち第二十四計の言葉です。

ところは中国。時は春秋時代のこと。

当時、大国の晋《しん》が「虢《かく》」という小国を攻め滅ぼそうと試みたことがありました。

しかし、その進軍路に「虞《ぐ》」という小国があり、この存在が「虢《かく》遠征計画」を阻んでいました。

そこで晋は虞国に申し入れます。

「我が国は虢国を攻めたいだけで、貴国に敵意はない。

そこで、いかがであろう？

虢《かく》国に遠征するために貴国を通らせていただけないであろうか？」

この申し出に対して困惑する虞《ぐ》国。

なんといっても虞《ぐ》国は小国。

これを無碍《むげ》に断って、大国の晋に睨《にら》まれたくない――ということで、これを認めることにしました。

晋軍は、虞《ぐ》国を通過して予定通り虢《かく》国を亡ぼして凱旋《がいせん》となりましたが、その帰路、ついでに虞《ぐ》国も亡ぼしてしまった――という故事です。

同じようなことは、洋の東西と古今を問わずに起きており、たとえば、20世紀の初頭において、ドイツがフランス侵攻を企てたとき、その進軍途上にあったベルギーに通過許可を申し出ています。

――我が軍は貴国を通過するだけで、
危害を加えるつもりはない。

まさに「仮道伐虢《かどうばっかく》」そのものです。

このときもやはりドイツ軍がベルギーを通過する際、そのままベルギーを占領してしまっています。

外交というものは、ほんのわずかでも弱腰を見せると、亡びるまで攻勢をかけられるのがオチだという教えです。

ヒトラーを育んだ〝弱腰外交〟

ヒトラーが第二次世界大戦の〝直接〟の契機を作ったことは確かですが、彼を育《はぐく》んだのは紛《まご》うことなくフランスであり、アメリカであり、イギリスです。

学校の歴史教育ではこのあたりの事実をほとんど教えませんが、間違いなくフランスが〝ナチスの卵〟を産み落とし、アメリカがその卵をかえし、イギリスが破壊《シヴァ》神《ァ》にまで育て上げたのです。

今回は紙幅の関係でフランスとアメリカについては触れませんが、イギリスがどのようにナチスを育てたのかについて見ていきましょう。

1933年1月、ヒトラーは首相となって半年で独裁体制を固めると、国際会議（ジュネーヴ軍縮会議）の場で「軍備平等権」を主張し、これが拒絶されるや、その年の10月には国際連盟を脱退してしまいました。

さらに35年になると「再軍備宣言」を発します。

これはあからさまに「ヴェルサイユ条約違反」なのですから、この時点で英仏は軍を動員する権利を有し、実際そうしなかったとしても、その素振りを見せてやるだけで、戦争に至ることなくナチスを簡単に潰《つぶ》せたはずでした。

にもかかわらず、すでに〝弱腰外交〟に首までどっぷり浸《つ》かっていた英仏が動くことはありませんでした。

これに味を占めたヒトラーは、翌36年、「非武装」となっていたラインラント地方に進駐します。

これまた露骨な「ロカルノ条約違反」で、今度ばかりはさしものフランスも軍を動員するだろうと思われましたが、今回もフランスはついに動きませんでした。

このあたりからヒトラーの増長がはじまります。

――ふん、英仏は〝腰抜け外交〟しかできぬフヌケばかりだ！

これならもっともっと奪えるはずだ！

1938年3月にはオーストリアを併合。

それから半年後の9月にはチェコのズデーテン地方を要求するという増長ぶりで、まさにやりたい放題。

ズデーテン地方といえば、豊かな資源を有する地域で軍需工場もたくさんある土地柄。

これをヒトラーに取られたら、ドイツの軍事力は飛躍的に増強されます。

これにはさすがに黙っていられなくなった英首相N・チェンバレン《ネヴィル》があわてて話し合いを申し入れてきます。

これが、かの有名な「ミュンヘン会談」です。

「ヒトラー殿。

もし、これが貴殿の要求する〝最後の領土的要求〟であると約束するなら、我々もこれを認めようではないか！」

なんたる外交無能。

外交というものは、「自分の手の内は決して見せず悟らせず、会話の中から相手の手の内を探り、相手がどこまでなら妥協できると考えているのかを読み、なるべくこちらの妥協を少なく、相手の妥協を大きくするかの折衝手段」です。

チェンバレンのように、いきなり自分の手の内を見せてから行うものではありません。

そんなことを言われれば、ヒトラーはそんなつもりはさらさらなくてもこう答えるに決まっています。

――これは余が行う最後の領土的要求である！

この言葉を聞いたチェンバレンは「これで戦争を回避できる！」と稚児のごとく喜び、あっさりとズデーテン割譲を認めてしまいました。

慧眼チャーチルは見抜いていた

彼が帰国したとき、イギリス国民から「ヨーロッパの平和を守った！」「平和の天使」などと拍手喝采《かっさい》で迎えられています。

当時のイギリス国民の外交無知が窺《うかが》い知れる出来事です。

この歓迎に、チェンバレン自身も自信たっぷりに応えました。

――このミュンヘン協定こそが

〝英独不戦の決意〟の象徴である！

しかし、史実はまったく逆に展開し、このミュンヘン協定こそが「第二次世界大戦」への間接的な引き金となってしまったことは衆目の一致するところ。

このことをすでに看破していた慧眼《けいがん》W《ウィンストン》・チャーチルは言っています。

――何が「平和の天使」だ！

あんなもので、あのヒトラーが満足するものか。

嗚呼《ああ》、これで「第二次世界大戦」の勃発《ぼっぱつ》は決定的となってしまった！

事実、歴史はチャーチルの言葉通りになりました。

ズデーテンを得たヒトラーは、1000万人の新国民、莫大な地下資源、軍需工場、戦車・戦闘機を手に入れ、一気に軍事大国にのし上がるや、「最後」と言った、その舌の根も乾かぬうちにチェコを併合し、スロヴァキアを保護下に置き、ついにポーランドの領土まで要求することになります。

その要求には際限がありません。

このときになって、ようやくヒトラーの本性に気づいたチェンバレンでしたが、もう時すでに遅し。

気づいたときには、もはやヒトラーは手がつけられなくなっており、あの凄惨《せいさん》な「第二次世界大戦」となっていったのです。

もしズデーテンのときに、イギリスが「ナメるなよ?」とほんの少し〝恫喝《どうかつ》〟しただけで、ヒトラーは震えあがってその要求を取り下げ、以後おとなしくなったでしょう。

なぜなら、当時のヒトラーには全面戦争を戦う力などまったく持ち合わせていなかったのですから。

外交は決して退いてはならない

外交というものは〝お友だちごっこ〟の延長などでは断じてありません。「放っておけば殺し合いになるような、決して相容《あいい》れない者同士がそうならないようにするための交渉」です。

お互いにつねに相手国の足元を見、これをすくい、その血を吸い尽くすことに全身全霊をかけるのが「外交」というものです。

草原の鹿が一瞬でも油断すれば、たちまち肉食獣の餌食《えじき》となってしまうように、外交もまた、一瞬たりとも相手国に隙《すき》を見せてはならないどころか、一歩も退《ひ》いてはなりません。

自分が一歩退くときには、必ず相手国に二歩下がらせなければなりません。

相手が退いていないのに自分だけが退けば、中国春秋時代の「虞《ぐ》」のように亡ぼされるか、20世紀前半のイギリスのように大戦禍を受けることになります。

こうした〝外交の怖ろしさ〟をまるで理解できていないのが、76年にわたって戦争の経験がない現代の日本人と言えるでしょう。

よく「平和ボケ日本人」と揶揄《やゆ》される所以《ゆえん》でもあります。

尖閣諸島や竹島《たけしま》など、日本を取り巻く国境問題は極めて深刻な状況にありますが、なんと、「竹島などの小島、欲しいというならくれてやればよい」といった愚論・暴論まで出る有様。

もし、その主張通り日本政府が「竹島をくれてやる」という挙に出れば、事は収まるのでしょうか?

チェンバレンもそう考えました。

「ズデーテンひとつくれてやって平和が保てるなら安いものだ!」と。

しかし、現実にはそうならなかったことをすでに学んでまいりました。

ヒトラーは「最後の要求」と約束しておきながら、それから半年もしないうちに、ドイツ人など住んでいない「チェコを併合」し、「スロヴァキアを保護国」とし、果ては、ポーランドの領土まで要求したのです。

同じように、竹島を与えたが最後、次は対馬、次は五島列島、果ては北九州と要求してくることは目に見えており、事態は悪化するに決まっています。

繰り返しますが、「外交」とはそういうものです。

そこに情け容赦など微塵《みじん》たりともありません。

戦争とは「外交の延長」

外交では、相手はこちらの「弱み」にトコトンつけ込んできます。

いざこざを回避したければ、強気の姿勢を崩さないことです。

ところが、こうした事実をどうしても理解できない輩《やから》が反論してきます。

「そんな強気に出て、戦争になったらどうするんだ⁉」

もちろん、慎重に挑まなければ、そうした態度が本当に戦争を導いてしまうことはあり得ます。

しかしながら、歴史的に見れば、「弱腰外交」よりははるかに戦争回避率が高いという事実があり、また、それで開戦するほど両国の関係が悪化しているのなら、「弱腰外交」をしてもどうせ戦争になります。

それなら最初から一歩も退かない方が、その後の展開もずっと有利になります。

例を挙げれば枚挙に遑《いとま》がありませんが、たとえばソ連の場合。

１９５３年にI《ヨシフ》・V《ヴィサリオノヴィッチ》・スターリンが亡くなった際、彼の事業を引き継いだN《ニキータ》・S《セルゲーヴィッチ》・フルシチョフは、古い「スターリン主義」政策からの脱却を図り、56年、いわゆる「スターリン批判」を行います。

ところが、これに当時の中国を牽引していた毛沢東《マオツォトン》が反発し、ここから中ソ関係が急速に冷え込んでいくことになりました。

毛沢東《マオツォトン》の政策こそが「スターリン主義」だったため、スターリン批判は「毛沢東《マオツォトン》批判」そのものだったためです。

それ以降、年を追うごとに中ソ関係は険悪化の一途を辿《たど》り、ついには中ソ国境を流れるウスリー江の中の小さな「中洲」の領有を巡って、両国は対立するようにまでなりました。

中ソの〝蜜月時代〟にこの問題が発覚したならば、なんの問題にもならなかったであろう、小さな小さな中洲。

これを中国側は「珍宝島《ジェンバオダオ》」と呼び、ソ連側は「ダマンスキー島」と呼んで、その領有権をお互いに譲らず、ついに69年には、この中洲を挟んで、両軍とも１００万もの兵を動員し、一触即発となります。

お互い一歩も譲らぬ姿勢に、当時の専門家《アナリスト》たちも、

——すわ、中ソ全面戦争に突入か⁉

……と騒ぎ、当時、マスコミを賑わせたものですが、そんなわけがありません。

なぜならば、戦争というものは「子供のケンカ」などではない、「外交の延長」だからです。

「子供のケンカ」なら、ほんとうにつまらない理由で口論となり、感情的になってとっくみあいの喧嘩になり、その結果、大怪我《おおけが》をしてしまうこともありますが、戦争は決してそうはなりません。

戦争は「子供のケンカ」と違い、純粋に〝損得〟で動くからです。

この「珍宝島《ジェンバオダオ》事件」も、小さな小競り合いはあったものの、結局、大きな戦争には至らず、外交交渉で決着しています。

なんとなれば、珍宝島など「政治的にも軍事的にも経済的にも外交的にも、なんの意味もない、単なる〝小さな中洲〟にすぎない」からです。

そんなもののために全面戦争に突入するほど、中ソ両首脳はバカではありません。

「すわ、戦争か⁉」と騒いだ者たちは、「子供のケンカ」と「戦争」の区別も付かないエセ学者たちです。

中ソ両軍がこの小さな「中洲」に100万もの軍を動員したとき、もし中ソのどちらかの首脳が無能で、ビビって弱腰を見せたならば、この事件はどういう展開となっていたでしょうか。

間違いなく、弱腰を見せた方がたちまち「中洲」を奪われるのは当然、要求はそれだけに留まらず、次々と新たな要求を突きつけられて、その先に待つものは中ソ全面戦争になっていたことでしょう。

中ソともに一歩も退かなかったことで、全面戦争が回避できたのです。

「得」をしない戦争など、はなから起きない

由是観之《これによりてこれをみるに》。

我々が直面している尖閣諸島問題も、この「珍宝島《ジェンバオダオ》事件」に似ています。

日本は、尖閣諸島問題について一歩も退いてはいけません。

歴史を学べば、一歩でも退けば土地は疎《おろ》か、利権も誇りも身ぐるみ剝《は》がされて、その果てには全面戦争の危険が高くなるのに、退かなければ戦争を避けられることが理解できるようになります。

なんとなれば、「珍宝島《ジェンバオダオ》」同様、尖閣諸島にも全面戦争に値するだけの価値がないためです。

繰り返しますが、戦争は「損得」で動きます。

「得」をしない戦争など、はなから起きないのです。

中国が尖閣諸島を押さえれば、中国が狙っている覇権国家の橋頭堡《きょうとうほ》にすることはできますし、尖閣諸島周辺には少しばかりの海底油田がありますから、中国にとって多少の政治的・経済的な旨味《うまみ》がないではありませんが、それとて、日本・アメリカ、そして国際世論を敵に回してまで手に入れる価値のあるものではありません。

今の日本に必要なことは、中国に対しては断固とした態度で臨みつつ、外交において国際世論が味方につくよう、最大限の努力と根回しをすることです。

先に触れた「宮古島島民虐殺事件」に話を戻しましょう。

日本は、中国から「台湾は化外の地」との言質《げんち》を得たことで、翌1874年、台湾出兵を決行します。

これに狼狽《ろうばい》したのは中国です。

このまま看過すれば、台湾が日本の領有となってしまい、中国の近海があやういことになるためです。

ここにきてようやく自分の失言に気づいた李鴻章《リーホンジャン》は、こたびの日本の出兵に対し、「民を保つ義挙と認む」との声明を発表し、あれだけ嫌がっていた賠償金の支払いをあっさりと認めたのでした。

このときの日本といえば、まだ開国したばかりの〝弱小貧乏島国〟です。

これに対して当時の清国は、衰えたりといえどもまだまだ日本などとは比較にならない大国でした。

この歴史的事実から学べることは多いはずです。

退くか、退かぬか――今まさに起きている尖閣諸島問題に日本国民はどのような関心を寄せ、政府はどう対応するのか、注視しつづけたいと思います。

CHAPTER 08

繰り返される国家衰亡の歴史

政府は何百億円もの税金を投じて地震予知研究に余念がありませんが、そもそも地震予知など不可能なのではないでしょうか。じつは、「最初からムダだとわかっているものに莫大な予算を垂れ流す」という愚行は、歴史上何度も繰り返されてきているのです。

月に人間を送り込むほどの科学力を誇っても、人間は自分の足下の地球のことはほとんどわかっていません。

事実、公的な研究機関による地震予知が当たったことは、これまで一度もありません。

半世紀近くも前から、「もうすぐ東海大地震が起こる!」「もうすぐ東海大震災に見舞われる!」と耳にタコが当たるほど叫ばれながら、いまだに東海大地震(最近は「南海トラフ地震」と呼ばれるようになっています)は起こっていません。

地震予知は恐らく不可能

その間、別の地区では数多くの大地震が起こっています。

震度7を記録した最近の巨大地震だけをみても、1995年に阪神淡路に起こった大地震を皮切りに、新潟中越(2004年)、東日本(2011年)、熊本(2016年)、北海道(2018年)と立てつづけに大地震が起こりました。

その間、「次こそ!」「次こそ!」と叫ばれつづけてきた東南海地方は、ずっと平穏のままです。

政府の地震調査研究推進本部(以下、地震本部)が発表したことといえば、

――今後30年以内に南海トラフ地震が起こる可能性は70%!

……という、意味がありそうでほとんど何の意味もない予測のみ。

30年以内のいつ起こるのかもわからず、確率の数字が本当に正しいのかどうかを証明する手段もなにひとつありません。

何年かしたら、「80％」「90％」と少しずつ上げていけばもっともらしく聞こえますが、これでは単に「もうすぐ起こるよ」と言っているのと変わりません。

キリスト教徒は、2000年前からずっと「神の国は近づいた！」「つねにその日に備えよ！」と叫びつづけながら、いまだに神の国が到来する気配もありませんが、これに似ています。

神の国と違い、地震の場合は「もうすぐ起こる」「もうすぐ起こる」と永久に言っていれば、いつかは当たるでしょうが、そんなことなら莫大な研究費など費やすまでもなく、誰にでもできることです。

地震予知は「赤ん坊がいつ死ぬか」を当てるようなもの

「毎年毎年、何百億円もの経費を費やして、地震本部は何やってんだ！」と叫びたくもなりますが、しかし、そもそも地震予知など現在の科学力ではほとんど不可能なのですから、地震本部が予知できないのは致し方ないことです。

たとえるなら、今生まれたばかりの赤ちゃんを指して、「この赤ん坊の体を調べて、この子が何歳の何月何日に死ぬかを当ててみろ」と言われているようなもので、地震予知は恐らくどんなに科学が発達しようとも無理でしょう。

——それでも研究をつづければ、今は無理でも将来的には予知ができるようになるかもしれないじゃないか！

……と反論されれば確かにそうでしょう。

しかし、仮にその後の研究によって地震予知が可能になったとしても、やはりそれに投入した労力と叡智と時間と資本に見合うだけの費用対効果はないと思われます。

もしそれが「何月何日何時ごろ、某地区で100%の確率で起こる！」というピンポイントで予知できるものなら話は別ですが、それはさすがにどんなに科学が発達しようとも不可能。

たとえば「ここ3年以内に60%の確率で東南海地域で最大震度7の地震が起こる」くらいの精度で予知できるようになったとしても、そのことに大きな意味があるでしょうか？

東南海地方の住民全員が、当たるか当たらないかわからない地震予知のために、3年間にわたって別の地域に避難できるわけもなく、予知を聞かされたところで通常の生活をつづけざるを得ません。

ただ不安な日々を送るだけです。

それなら、地震を予知することより、起こったときの被害を最小限に抑える策に尽力し、予算を注ぎ込んだ方がよっぽど建設的です。

内陸地震の犠牲者のほとんどは家屋の倒壊による圧死です。

ならば、建造物の耐震免震性能を上げる研究をして、家屋の倒壊をゼロに近づければ、犠牲者の数も激減するでしょう。

つまり建物の耐震性能を上げる努力は、地震予知に比べて比較にならないほど費用対効果が高いのです。

海溝型地震なら津波による犠牲者がほとんどなのですから、津波対策、あるいは起こってしまったあとの復興予算に充てる、など。

地震予知に予算を傾けるより、やるべきことはいくらでもあるように思えます。

しかし、今後も地震予知の予算が大幅に削られることは、恐らくないでしょう。

本音と建前、学者特有の婉曲的表現

その理由のひとつには、ひとたび「予算」が生まれれば、その利権に人がわらわらと簇《むら》がり、これを削減しようとすると、彼らが全力で抵抗してくるためです。

学者はこう主張します。

「地震の予知は、たしかに現時点では難しいかもしれない。

しかし、今後もたゆまぬ研究をつづけていれば、

いつかはできるようになるかもしれない。」

――難しい。

――でもいつかは！

――かもしれない。

これはたいへんわかりやすい、「ホントは不可能だけど、でもそれを言ったら予算削るでしょ？」という学者特有の婉曲《えんきょく》的表現です。

政治家で喩《たと》えるなら、彼らが、

・「善処します」と言ったら、「やる気はない」という婉曲的表現。

・「秘書がやった」と言えば、「私がやったが責任を取るつもりはない」という婉曲的表現

・「ただちに影響はない」と言えば、「じわじわとだが確実に影響が出る」という意味の婉曲的表現

……を表しているのと同じです。

政治家がバカ正直に「改善する気なんかねぇよ！」「責任なんか取らん！」「影響は甚大！」などと言わないように、科学者もバカ正直に「まったく不可能です！」とは言いません。

それを言ってしまえば、研究予算が剝奪《はくだつ》され、自分たちは〝おまんまの食い上げ〟になってしまうからです。

しかし国民はこうした学者の言葉に簡単に騙《だま》されて地震予知に期待し、政府もこれに予算を割《さ》きます。

ソ連の愚行「超能力開発」

歴史を紐解《ひもと》けば、「最初からムダだとわかっているものに莫大な予算を垂れ流す」といった悲劇はよくあることで、冷戦期のソ連による「超能力開発」はこの典型といえます。

現在のロシア連邦がまだ「ソビエト連邦《USSR》」だったころ、時の政府は「テレパシー」だの「透視」だの「念力」だのという、ありもしない「超能力」の開発に、莫大な予算を注ぎ込んでいました。

超能力開発に携わる研究者は、自称「超能力者」相手に必死に研究をつづけますが、実体はただの「詐欺師」「手品師」の類《たぐい》ですから、もちろん何の成果も上がりません。

こんな子供騙しの手品に、大の大人が、それどころか政府が、大マジメで莫大な予算を投入して研究していた時代があったのです。

その傍《かたわ》らで、多くの国民が餓死していたにもかかわらず。

滑稽話にしても笑えない話で、「そんなくだらないことにカネを注ぎ込むくらいなら、飢えた国民を少しでも救済しろ！」と言いたくなりますが、そうした理屈は通りません。

なんとなれば、さきほども触れたように、ひとたび「予算」が発生すると、その予算で生計を立てる者が生まれ、彼らが「予算」という名の「メシのタネ」を守るために、その身をウソで塗り固めてでも予算を守ろうとするからです。

そもそも超能力など端《はな》から存在しない、ただのイカサマなのですから、これにどれほど莫大な予算を注ぎ込もうと、何の成果もあるはずがありません。

やがて、これに苛立《いらだ》ちを覚えた政府がせっつくようになります。

――これだけの予算を注ぎ込んでいるというのに、

まだなんの成果もないのか！

すると、予算削減を恐れる研究者は、政府首脳に「手品」を見せて、これを〝成果〟と伝えます。

「今のところ、ここまでできるようになりました！ あともう少しなんです！」

〝手品〟を見せられた政府首脳はこれに満足して、逆に予算を拡大する有様。

こうしたウソにウソを重ねていった結果、超能力研究所が開発していったのは「超能力」ではなく「手品の技術」でした。

その結果、「食べていけないソ連でも〝超能力者〟を自称すればたらふく食えるようになる」と「超能力者を自称するイカサマ師」が数多く現れることになります。

ところがさらに滑稽なのは、当時、ソ連の「ニセ超能力者」の出現に驚いたアメリカ合衆国政府までソ連に負けじと超能力研究を始め、「米ソ核開発競争」の裏では「米ソ超能力開発競争」というマンガのような愚行が熾烈化《しれつか》し、米ソは競ってイカサマ師どもに莫大な予算を注ぎ込んでいったのです。

しかしタナボタということも……

もちろん地震予知が「イカサマ」とは申しませんが、「実現の見通しが立たないことに血税を垂れ流す」という点においては、ソ連の超能力開発と似ています。

しかし、「では、地震予知研究はまったくムダなのか？」というと、そうとも言い切れません。

たとえば、場面変わって中世から近世にかけてのヨーロッパ。

このころ、ヨーロッパでは「錬金術」が大流行していました。

——そこらへんの石コロや鉄クズを、

化学的物理的処理を施すことで

金塊や銀塊に変えることはできないものか。

もしこれに成功すれば、一気に億万長者。

当時の科学者たちは、それこそ人生をかけて「錬金術」を研究し、スポンサーは彼らに莫大な開発費用を注ぎ込みました。

錬金術師の中には「錬金なんかできっこない」とわかっていながら、スポンサーからの資金提供を引き出すために、「手品」のタネづくりに余念がなかった者もいたといいますから、このあたりはソ連の超能力開発と同じ構図です。

ちなみに、あの有名な近世物理学の泰斗《たいと》Ａ《アイザック》・ニュートンも、錬金術師としての顔がありました。

現在では、錬金は「事実上不可能」であることがわかっています。

「事実上」というのは、「仮に鉄から金を生成しようと思えば、核融合によって〝理論上〟は可能ですが、そんなことは現在の科学力をもってしても不可能だし、もし将来、技術的に可能になったとしても、核融合によって出来上がる金銀など比較にならないほどの莫大な経費がかかる」ため割に合わない、という意味です。

しかし、それが判明したのは、皮肉なことに「錬金術」の研究成果によって、化学・物理の知識が蓄積されていったからです。

「占星術」自体は〝インチキ〟ですが、永年にわたる占星術の研究によって天文学が発展したのとよく似ています。

錬金術師の「石コロから金を生成する」という目的はついに達成できませんでしたが、その代わり科学の発展には貢献したのですから、すべてがムダだったというわけではありません。

これと同じように、「地震予知」の目的自体はまず達成されることはないと思いますが、その名目によって得られた予算で、地下奥深くの大陸プレートなどの研究を進めることができ、それによってタナボタ的に別の研究成果が生まれ、それが何かしら人類の進歩に貢献することになる可能性は高いのです。

過去の「歴史地震」を遡る

とはいえ、人類が「計測器などを用いた本格的な地震研究」を始めたのは、本当につい最近のこと。

たとえば、日本で初めて地震計が設置されたのは明治になってから（1885年）で、まだ130年ほどしかたっていません。

それ以前の地震のことを「歴史地震」といい、それらの地震はたいへん資料に乏しく、したがってまだ地震研究は始まったばかり。

人間の人生でたとえれば、ヨチヨチ歩きの「幼少時代」といってよいものです。

そんな段階で「予知」など、幼稚園児に「相対性理論」を理解しろと言っているようなものでしょう。

ちなみに、ヨーロッパでの地震研究は、日本よりさらに130年遡って1755年ごろからですが、それでもまだまだ浅い。

じつは、ヨーロッパで地震学が生まれたきっかけは、「リスボン地震」の発生でした。

そのころのヨーロッパは、相次ぐ大戦争で疲弊していました。

1667年から始まった南ネーデルラント継承戦争を皮切りに、ヨーロッパ内だけでもオランダ侵略戦争、ファルツ継承戦争、スペイン継承戦争、オーストリア継承戦争、七年戦争。

それらがアメリカに波及して、ウィリアム王戦争、アン女王戦争、ジョージ王戦争、フレンチ&インディアン戦争、インドに波及して、カルナータカ戦争、プラッシーの戦いへとつながっていきます。

17世紀後半から18世紀半ばにかけての100年、ヨーロッパは主だった戦争だけでも両手で足りないほどの戦争を繰り広げました。

1755年は、そうした「戦争の1世紀」の終盤にさしかかったころだったのです。

このようにヨーロッパ全体が疲弊しきっていたときに、ポルトガル沖で巨大地震が発生しました。

ヨーロッパ全体を震撼させた「リスボン地震」

1755年11月1日、リスボン地震発生。

伝えられるさまざまな被害から、推定マグニチュード9・0(阪神淡路大地震の3

6０倍以上の地震エネルギー）とも言われる規模で、もし震度計があれば「7」を示したことでしょう。

さらに海底地震であったため、20メートル級の巨大津波が次々と町を襲い、リスボンを中心にポルトガルの海岸沿いの都市は壊滅、その犠牲者は6万人前後というすさまじいものでした。

地震による被害は、直接被災したポルトガルのみならず、ヨーロッパ全体の社会、経済、そして思想界、宗教界にも大きな影響を与えます。

じつは、この地震が起こった日はたまたまキリスト教徒にとって重要な祭日「万聖節」でした。

そのため、教会も動揺します。

なんとなれば、この震災を神学的観点から見たとき、「敬虔《けいけん》なるクリスチャンたちが国を挙げて教会に集まり、真摯に神に祈りを捧げている最中に、なぜか神が怒りを爆発させて教会を崩壊させ、多くの善良なる市民の命を奪った」ということになるわけで、教会はこれをどう説明してよいやら、困惑したためです。

かのヴォルテールは、「こんなことをしでかす神が慈悲深いはずがない！」と怒りを露《あらわ》にし、J《ジャン》・J《ジャック》・ルソーはバビロンの塔を造ったときの神の怒り同様、「人間が分不相応な都市を造ったための神の怒り」だと分析、イエズス会は「ポルトガル国民の罪深さゆえ」と主張します。

「地震学」の成立

しかし、こうした神学的観点からの見解は、どれもこれも説得力に欠いていました。特にイエズス会の言い分はポルトガル国王の逆鱗《げきりん》に触れ、イエズス会は国外追放の憂き目を見ます。

どれも人々を納得させるものではなかったため、「神学的」見地からではなく、あくまでも「科学的」に原因究明しようとする者も現れました。

それがドイツ観念論の泰斗、I《イマヌエル》・カントです。

カントはリスボン地震に関する情報をかき集め、これを分析。

地震の原因は神に起因するものではなく、単に地学的原因（地底奥深くにある巨大なガス溜《だ》まりが振動して起こった）と考えました。

彼の理論はのちに誤りと判明しますが、しかし、原因を「神」にではなく「自然のメカニズム」に求めたことは画期的で、ヨーロッパの「地震学」はここから始まったとみなされることがあります。

リスボン地震による影響は、エンリケ航海王子から始まるポルトガル黄金時代の余韻が残るこの国の国力を大きく削《そ》ぎ、「これを契機としてポルトガルは二流国家へと転落した」という見解を示す学者もいるほどで、以後、現在に至るまで昔日《せきじつ》の勢いを取り戻すことはなくなりました。このように、巨大地震は一国の衰勢を左右するほどの力を秘めています。

振り返って、わが国は……

ポルトガルの国勢を衰えさせたとまで言われるリスボン地震は、地震の規模や津波地震であることなど、何かと「東日本大地震」との類似性が指摘されています。

さらに日本の場合は、リスボン地震にはなかった原発問題まで抱えており、後世「あの地震が日本衰亡の転機であった」と史書に書かれることになるのではないかと危惧する者もいるくらいです。

この上、もしここでダメ押しのように「南海トラフ大地震」が起こり、もう一度、原発がメルトダウンでも起こそうものなら、偏西風に乗って放射能が東京に降り注ぎ、東京は死の町と化して壊滅、福島原発など比較にならないほどの被害をもたらして、日本は本当に衰亡していくことになるかもしれません。

「そんな大袈裟《おおげさ》な」と思われるでしょうか。

しかしながら、歴史を紐解けば、文明の絶頂においてひとつの国や町が自然災害に襲われて突然崩壊・衰滅するということは珍しくありません。

たとえば、紀元前1780年。

当時エーゲ海に覇を唱えていたクノッソス王国は繁栄の極致にあって、突如起こった巨大地震によって壊滅、いったん衰亡しています。

また、ずっと時代が下って西暦79年、イタリア中部にあって繁栄の絶頂にあったポンペイ市とヘルクラネウム市の二市は、突如噴火したヴェスヴィオ火山の火砕流で一夜にして消滅したことは、人口に膾炙《かいしゃ》しています。

また、聖書の中の話ではありますが、ソドム市とゴモラ市の二市も「その繁栄の極致で神の怒りに触れ、天から硫黄が降り注いで一瞬で消滅した」ことはあまりにも有名です。

これも宗教的には「神の怒り」となっていますが、学問的には恐らく「巨大地震による壊滅だろう」と考えられています。

現在、日本は平和であるからこそ、より一層気を引き締めてかからねばならないのですが、現実問題、こうした平和な時代の国民はかならず安寧《あんねい》に胡座《あぐら》をかいて危機感を失い、滅びの途《みち》へと驀進《ばくしん》している自分に気づきません。

東日本大地震は、我々に「原発の危険性の最終警告」を示してくれているのに、その教訓に学ぼうともせず、これほどの甚大な犠牲を払って得た「警告」を無視して、原発利権に簇《むら》がる政治屋どもが今、私腹を肥やすために遮二無二《しゃにむに》原発を再稼働させようとしています。

こうした「最終警告」を無視し、将来もし浜岡《はまおか》原発や伊方《いかた》原発が再稼働されるようなことにでもなれば、南海トラフ大地震が起こったとき、浜岡原発・伊方原発より東、関西および関東一円が放射能で汚染されて人が住めなくなり、日本は本当に衰滅していくことになるでしょう。

PART 4

「現在」は「過去」から出来ている

現代は歴史の積み重ねで形づくられています。
「なぜそうなのか?」を理解するためには、
過去のいきさつをしっかりと押さえておく必要があります。

CHAPTER 09

憲法改正――旧法に固執して破滅した歴史

なぜ「憲法改正」が叫ばれているのか。
それは、現行の「日本国憲法」はあまりにも問題が多すぎるためです。
本項では、現行憲法の諸問題について、歴史的背景を絡めながら考察していくことにします。

現行憲法における最も大きな問題は、何と言っても現在の「日本国憲法」が74年も前に作られたもので、あまりにも古すぎるという点です。

人間が作った制度や法というものは、かならず古くなります。

「例外のない規則はない」という言葉がありますが、これに限っては例外はなく、古くならない制度・法などというものは人類史上、ひとつも存在しません。

しかも、古くなるのは人が思っているよりずっと早い。

制度も法も、それが成立する時点での社会にピッタリとマッチするように作られます。

たとえば、子供のために新しく服を新調するとき、その子の身体に合わせて縫製するのと同じです。

キツキツ、ガバガバだったりしては服として用を成さないように、制度や法も、その時代の社会とピッタリとマッチしたものでなければうまく機能しません。

しかしながら、子供の身体はどんどん大きくなるのに、服は大きくなりません。

窮屈になってきたら、もう一度仕立て直すか、買い直さなければなりませんが、制度や法もこれと同じです。

制度や法もひとたび作ってしまえば固定化してしまうのに、社会の方はつねに変化していくため、すぐに適合しなくなってしまいます。

そこで、否応なく社会の変化に合わせて定期的に修正したり改正していくのが当たり前であって、後生大事に守り通すという類《たぐい》のものではありません。

改正は当たり前、近代憲法を生んだヨーロッパの場合

そもそも「近代憲法」を生んだヨーロッパを見ても、たとえば、フランス初の憲法は「1791年憲法」ですが、そこから数えて現行の「フランス第五共和国憲法」はすでに16個目の憲法です。

その平均寿命はわずかに14年。

これと比べても、「日本国憲法」の74年が異様に長いものであることがわかります。

ちなみに、憲法ではありませんが、ナポレオンが「世の法典は永遠なり！」と自画自賛した所謂《いわゆる》「ナポレオン法典」にしても、現在まで何度、修正・加筆されたか知れず、それとて〝永遠〟などではありません。

現行の「フランス第五共和国憲法」の制定は1958年ですから、成立からすでに63年。これだけ見れば「日本国憲法とさして変わらないではないか」と思われるかもしれませんが、これとて制定以来「一言一句同じ」ではなく、この63年の間に、時代や社会に合わせて「24回もの改正」が行われています。

このペースは、ほぼ2年半に1回という高い頻度です。
もうひとつ例を挙げれば、戦前の日本の同盟国で、同じ敗戦国の立場であったドイツの「ドイツ連邦共和国基本法」も憲法自体は72年とかなりの長寿命です。しかしこれとて、現在まで64回（ほぼ毎年ペース）もの頻繁な改正を繰り返しているのです。

これに対して日本の場合、「一言一句の修正すらなく74年」なのですから、もはや「異常」といってよいものです。

例に挙げたフランスやドイツに限らず、他の国も、日本以外の国では憲法改正など頻繁に行われるのが普通です。
身体《からだ》（社会）が成長して服（法）が合わなくなったら、仕立て直し（修正）するか新調（改正）するのは、至極当たり前のことです。

今の日本は、赤子のときにあつらえた服を、成人した今でも仕立て直しも新調もせずにそのまま着せられているようなもので、異様な見苦しい姿をさらけ出していることを理解しなければなりません。

旧法を死守しようとして没落したポーランド

それでも護憲派の人たちは、感情論に走り、あらん限りの詭弁《きべん》を弄《ろう》して現行憲法を守り通そうとしますが、それがいかに愚かなことであるか、18世紀前後のポーランドを例にとって見てみましょう。

今でこそ〝二流国家〟に成り下がっている観のあるポーランドですが、16世紀のころまではヨーロッパでも強勢を誇る大国でした。

それが17世紀以降、急速に衰えていき、18世紀末にいったん滅亡、地球上から消え去ってしまいました。

ほんの少し前まで強勢を誇っていたポーランドともあろうものが、いったい何があったのでしょうか。

理由は多元的で複合的ですが、その大きな原因のひとつに「リベルム・ヴェト」の制定があります。

「リベルム・ヴェト」というのは、当時のポーランド貴族たちが自分の利権を守らんがために導入したもので、どんな圧倒多数を以《もっ》てしても、たった1人の貴族議員が「反対！」と言えば廃案となるという、いわば「全会一致制」でした。

これで貴族たちの利権を損ねるような新法が現れても安心。

たった1人の貴族議員が「反対」すれば、そうした法案を潰《つぶ》すことが可能になったからです。

こうしてポーランド貴族は「現状」と「旧法」を容易に守り通すことが可能となりました。


――よし、これで、我々貴族の利権は安泰だ！


愚かなるかな、「リベルム・ヴェト」が成立したとき、ポーランド貴族はこういって胸をなでおろしたものでした。

しかし、先ほども申し上げましたとおり、法というものは例外なく必ず古くなります。

古くなった法は、どんどん時代に合わせて、社会に合わせて刷新していかなければなりません。

解決しなければならない国家問題はどんどん山積していくのに、どんな法案にも必ず1人や2人反対者はいますから、リベルム・ヴェトの導入によって、事実上、一切の法改正が不可能になってしまいました。

――貴族の利権は守られるかもしれんが、

このままでは祖国そのものが亡んでしまう。

それでは本末転倒だ！

ポーランド貴族たちもようやく己《おのれ》の愚かさ、「旧法を死守すること」の愚かさに気づき、慌てて「リベルム・ヴェト廃止法案」を提出しましたが、それもリベルム・ヴェトによって裁決されるため、当然、廃案。

ひとたび全会一致制を導入してしまうと、もう後戻りすらできません。

そこで考え出された打開策が「反対議員を片っ端からブチ殺すこと」。

徹底的に「旧法」を守らんと執着した結果がこの有様《ザマ》です。

そして間もなくポーランドは滅亡していくことになりました。

このときのポーランドに限らず、歴史を紐解《ひもと》けば一目瞭然《いちもくりょうぜん》、古い制度や法に執着することは、確実に国家の破滅を呼び込みます。

「日本の夜明け」が理解できなかった幕末武士

こうした観点からも、今や現行憲法の改正を本気で考える時期に来ていることは明白です。

ところが、いつの世にもこうした道理がまるで理解できない、「古いものに執着する」人はいます。

どうしても新しい時代の到来を理解できず、現行の制度や法の欠陥を理解できず、旧《ふる》きに執着する人たちが。

洋の東西を問わず古今を問わず、こうした人たちが制度や法の刷新を妨げ、18世紀のポーランドのように、社会を混乱に陥れ、場合によっては国を亡ぼす元凶となっていくのですが、本人たちはその自覚がまったくなく、むしろ自らは「古き佳《よ》きものを守る、正しいことをしている」と信じて疑っていないため、やっかいです。

それは、幕末においてもはや時代は新時代に向かっているのに、どうしてもそれが理解できず、「断固として幕藩体制を守り通すべし！」と叫んで、国を憂う志士たちを次々と暗殺しつづけた新撰組とよく似ています。

ご多分に漏れず、彼らもまたその自覚なく、幕藩体制を守ることこそが正しい選択だと信じて疑うことなく、命を賭《か》けて戦い、日本の足を引っぱりつづけたのでした。

テロでは「イスラーム再興」は実現しない

現在もイスラーム系組織のテロが世界中で相次いでいますが、じつはあれもこうした側面があります。

彼らもまた、すでに「時代」が変わっていることをどうしても理解できず、認めず、今から1600年も前に創られた旧《ふる》い法「シャリーア」にしがみついて、これを一言一句たりとも違《たが》えることなく守り通すことに執着し、またそれによってしか、アッバース朝やオスマン朝のときのようなイスラーム世界の繁栄を再建することができないと信じる者たちです。

その点では、「74年も前の古い法にしがみつくことで平和が維持できる」と信じて疑わない護憲派の人たちと重なります。

護憲派は弁論で、イスラーム系組織はテロによって、自らの理想を実現しようとしている点は大きく違いますが、その根っこの部分は同じです。

しかし、時代の流れに逆らう者は、ひとつの例外なく、歴史によって抹殺されます。

先ほど例に挙げた新撰組の末路も悲惨でしたが、それも歴史の流れに逆らったからです。

したがって、彼らが世界中でどれほどテロを繰り返そうとも、歴史の流れに逆らう彼らの野望「イスラーム再興」が実現することは決してありません。

「押し付け憲法」問題

現行憲法にはもうひとつ、改正すべき致命的な問題があります。

それが「押し付け憲法」問題です。

太平洋戦争の終結後、ＧＨＱ（連合国軍総司令部）が土足で上がり込んできて、「憲法を改正しろ」と要求してきました。

この時点で、明白な「ハーグ陸戦条約（１９０７年）」違反であり、「ポツダム宣言（１９４５年）」違反ですが、これに対して護憲派は、ありとあらゆる詭弁を弄して、これを否定しようとします。

――日本国憲法は、国際法違反ではない！

押し付け憲法でもない！

確かにマッカーサー案を基に憲法草案が作られたものの、その後、その草案を選挙で選ばれた国民の代表が審議し、賛成してできたものだから！

もはや開いた口が塞《ふさ》がりません。

「国民の代表が審議し、賛成した」？

こういう発言をする方の正気の沙汰《さた》を疑いたくなるほどで、彼らの頭《おつむ》では、その

「賛成」とやらが「反論など一切許さぬGHQの無言の圧力の下で実施された」ものだということにすら、思い至らないようです。

それより何より、現職のアメリカ合衆国大統領であるJ《ジョー》・バイデンその人が、副大統領だった2016年に「我々が日本国憲法を作った」と〝自白〟しています。

このように、現行憲法が「押し付け憲法」であることは明々白々ですが、護憲派はそれでも頑として「押し付け憲法」だと認めないのですから、もはや彼らは〝言葉〟の通じない人たちといえます。

しかも、ここではその真偽すら論ずる必要はありません。

現行憲法が客観的事実として「押し付け」であるか「自主」であるかの議論は一旦措《お》いておいても、その「疑惑がある」というその一点で改正する理由として十分だからです。

異民族が作った（疑い濃厚の）憲法を、しかも74年も前のカビの生えたような古い

憲法を、後生大事に守り通そうとする国民など、世界中どころか、人類史上を探しても、現代日本人以外、他にまったく存在しません。

それでも護憲派は、ほとんどヒステリックに叫びます。

――憲法改正反対！

平和憲法を守るべし！

「第9条」は断固として守らなければならない！

しかしそんなことは、憲法改正の際、新しい憲法をどのようなものにするかの議論の中で主張するべきことであって、「憲法改正そのもの」を否定する理由にはなりません。

改憲すればただちに「第9条は廃され、徴兵制が実施され、日本は戦争へと突入していく」かのごとく感情論のみで主張していますが、今の平和ボケした日本人がそんな憲法を作るとは考えにくいですし、またたとえそうなったとしても、それが

「日本人が決めた」ことならば「それもまた善《よ》し！」です。

民族自決。

独立国家にとって、最も重要なことは「自国のことはその国の人間で決めなければならない」ということであって、他国の人間に作ってもらった憲法で、他国の軍隊に守ってもらった「平和」など、断じて〝真の平和〟ではありません。

筆者は日本人の手で作った憲法なら、それがどんな憲法でも受け入れます。

それが「民主主義」というものです。

日本は戦後70年以上アメリカの「属国」

今、筆者はあえて「属国」という言葉を使います。

我々は学校教育で「日本は独立国家です」と教わってきました。

ほとんどの日本人は、これを無批判・無検証に盲信していますが、これは国民向けの「嘘」です。

筆者がこんなことをいったところで、「何言ってんだ、こいつ？」とくらいしか思わないかもしれませんが、日本は戦後70年以上、今日に至るまで「独立国家」などではありません。

紛《まご》うことなき「アメリカの属国」です。

20世紀前半までの属国や植民地とは違った形態の、一見したところ巧妙に「独立国家」を装った「新しい形態の属国」です。

よく「日本はアメリカ合衆国の51番目の州」などと揶揄《やゆ》されますが、これは〝ジョークに見立てられた真実〟です。

実際、現在の国際連合でも、日本にはいまだに「敵国条項」が適用され、その対応は「アメリカの属国」扱いです。

日本が支払っている国連維持費（分担金）は、イギリスよりもフランスよりも、ドイツよりもロシアよりも多い、世界第3位（第1位はアメリカ・第2位は中国）であるにもかかわらず。

それというのも、欧米社会の価値観では「独立」と「軍の保有」は表と裏の関係であり、決して切っても切り離せない関係だからです。

軍を持たない国が独立することなどあり得ないし、独立は軍の保有によって保障されます。

たとえば相手が「武装解除する」と通達してきた場合、それは「我が国の属国とする」という意味です。

第一次世界大戦後、ドイツにそれをやったら、属国扱いを受けたドイツ人の怒りが爆発し、その怒りがヒトラーという〝怪物《モンスター》〟を生み、第二次世界大戦を引き起こすことになりました。

これに懲《こ》りたアメリカは、太平洋戦争後、日本にも「武装解除（属国化）」を望みましたが、それをすればドイツの二の舞となって「日本版ヒトラー」が現れるかもしれぬと、これを懸念したアメリカが思いついたのが「平和憲法」です。

――これは〝武装解除〟じゃないよ、〝平和憲法〟だよ。

よかったね。これで戦争のない平和な国になれるんだよ。

大丈夫、日本のことはアメリカが守ってあげるから！

「属国化」を「平和憲法」と言葉を言い換えただけで、中身は完全な「武装解除＝属国化」です。

歴史的に見れば、憲法改正に反対する理由などない

こうした「耳当たりのよい言葉に言い換えて、悪事を隠蔽《いんぺい》するイメージ戦略」について十分理解しておかないと、そうした策略に簡単にはまってしまう懼《おそ》れがあります。

たとえば、第一次世界大戦前まで「軍事同盟」と呼んでいたものが、戦後、国民の中に厭戦《えんせん》ムードが高まると、これを「相互援助条約」と言い換えて、自国民の目をそらしています。

また第一次世界大戦後、「植民地」に対するイメージ悪化が起こり、植民地経営がやりにくくなると、「委任統治領」と名を改めることで不満の芽を摘《つ》みます。

さらに太平洋戦争後、アメリカは日本の指導部を皆殺《ジェノサイド》しすることを望みましたが、それでは日本国民の反発を受ける懸念があったため、これを「東京裁判」と呼

ぶことにしました。

これも「裁判なら公正《ジャスティス》が期されるであろう」というイメージ戦略で、日本人はこれに見事に騙《だま》され、「東条英機は裁判で死刑になったそうだ。あいつめ、悪いヤツだったんだな！」などと言う始末。

そして「平和憲法」もまた「日本属国化」を言い換えただけのイメージ戦略にすぎません。

こうした「言葉を言い換えただけのイメージ戦略」に、日本人は毎度毎度コロコロと騙されてきました。

自民族のことは自民族で決める（民族自決）。

それこそが「独立国家」の基本中の基本です。

日本でたびたび巻き起こる「憲法改正」に対する議論は、日本が「真の独立」を果たせるかどうかを問う、歴史的意味合いの深いものなのです。

こうして歴史を紐解いて考えれば、憲法改正に反対する理由など何ひとつありません。

護憲派は憲法改正案の中に「自分の主張を盛り込んでいけばよい」だけのこと

で、旧法に執着し、新法に反対することが国を亡ぼす〝売国行為〟であることは、悠久の歴史が証明しています。

ほとんどの日本人は「第９条」ばかりに心を奪われていますが、じつのところ重要なのはそこではないのです。

憲法改正によって「第９条」は削除されてしまうかもしれませんし、残されるかもしれません。

しかし、そのどちらであろうが、「日本人が決めたこと（民族自決）」という点が一番重要なのです。

CHAPTER 10

「少子高齢化」で本当に国は亡びるのか?

「少子高齢化」により日本は衰退する——。

こんな悲観論が世論を席巻《せっけん》していますが、歴史をみれば、増えたものは減り、減ったものは増えるのが〝自然の摂理〟です。それを人工的に統制しようとすれば、その先に待つのは、想像を絶する破局のみです。


「少子化問題」が叫ばれて久しい。

事実、少子化により、子供をターゲットとする教育産業はイの一番に打撃を受けました。

30年前、子供人口がもっとも多かったころには「億」を稼ぎ出す予備校講師が濫《らん》立《りっ》し、我が世の春を謳歌《おうか》していた予備校業界ですが、いまや見る影もなく衰退しているのもそのためです。

そしてついには、明治維新以来150年、原則として増えつづけてきた（太平洋戦争時には微減）人口が減少に転じ、人口減少は止《とど》まるところを知りません。

いまや日々、テレビやマスコミがこれを報道し、専門家・アナリスト・大学教授らがこれを煽《あお》ること、煽ること！

——このままでは行政が、経済が、国家が破綻《はたん》する！

——このままでは、50年後には日本の人口は8000万人まで減ってしまう！

しかし、これらの不安を煽る言葉は〝愚者の戯言《たわごと》〟、聞き流してもらって問題ありません。

学問の分野を問わず、こうした学者たちの〝予測〟は、「狼が来たぞぉ！」と毎日叫ぶ少年の言葉と同じくらい、当たった例《ためし》がありません。

学者の言う「このままでは」を真に受けてはいけない

彼ら知識人が日夜研究して出した予測が、なぜかくも見事にハズレるのか。

そのヒントは、彼らたちが〝枕詞〟のように口にする「このままでは」にあります。


社会を構成するすべての要素はつねに変動し、歴史はつねに流れています。

これから何十年にわたって、政治・社会・制度・経済・文化・技術・産業等々、ありとあらゆる環境・条件が「このまま」のわけがありませんし、その間、日本人が何ひとつ改善の努力をしないわけでもないからです。

彼ら学者の〝予測〟は、そうした社会の動きを一切顧《かえり》みず、あくまで「歴史のすべての流れがピタリと止まり、検証した事象だけがこのままの条件で推移すれば」というまったく〝ありえない前提〟に拠《よ》るものですから、当たるわけがありません。

「このままでは」というのなら、計算上、

――このままでは、1200年後、

日本の人口は4人になる！

……ということになりますが、断じてなりません。

こうした人口減少の危機を煽《あお》る人たちは、日本の人口を今後も未来永劫《えいごう》にわたって増えつづけさせるつもりでしょうか。

――増えたものは必ず減るときが来るし、

減ったものは必ず増えるときが来る。

ほんの少し智慧《ちえ》がある者なら誰でもわかりそうな、極々あたりまえの〝自然の摂理〟です。

人口減少を煽る人たちには、こんな簡単で基本的な自然の摂理すら理解できないのです。

こうした自然の摂理に抗《あらが》い、人間の浅知恵で人工的にこれを統制しようとすれば、その先には必ずや、想像を絶する破局《カタストロフ》が待ち受けるのみです。

〝自然の摂理〟に逆らうのは、自らの斧《おの》で隆車《りゅうしゃ》（立派な馬車）に立ち向かう蟷螂《かまきり》に等しい愚行です。

世界第4位の大湖、消滅の危機

そこで、〝自然の摂理〟に逆らって、手痛いシッペ返しを喰らった例を歴史に鑑《かんが》みてみましょう。

じつは、ほんのすこし前までユーラシア大陸の中央には、世界第4位の巨大な湖がありました。

それがアラル海です。

（第1位：カスピ海／第2位：スペリオール湖／第3位：ビクトリア湖）

ここは昔から豊かな漁場でしたが、第二次世界大戦後、ソ連書記長I《ヨシフ》・

Ｖ《ヴィサリオノヴィッチ》・スターリンが大戦で崩壊した経済を復興せんと、「自然改造計画」をブチあげました。

その一環として、豊かな牧草地帯が広がっていたアラル海周辺に、綿花畑の大開発が図られます。

しかし、綿花栽培のためには膨大な水が必要となりますから、アラル海に注ぐアム・シル両河畔に運河を張り巡らせ、川の水を吸い上げて綿花畑に撒《ま》くことにしました。

その結果、思惑通り、綿花の大増産！

スターリンの「自然改造計画」は大成功か――と思われました。


――ところが。


その喜びもほんの束の間、アム・シル両河の水を吸い上げた結果、川は干上がり、それとともに川という水源を失ったアラル海の水はどんどん蒸発していったのです。

もともと汽水（うすい塩水）だった湖水は湖水量が減ったことによってみるみる高

濃度の塩水となり、魚の棲《す》めない〝死の湖〟となって、まず漁業が潰滅《かいめつ》しました。

そして、そんな大きな犠牲を払って手に入れた綿花業もすぐに潰滅することになります。


じつは、このあたりは太古（2億年ほど前）海（テチス海）だったため、その地下奥深くには、地殻変動で取り残された膨大な含塩層があったのです。

アラル海が汽水だったのもそのためですが、アム・シル両河から吸い上げた膨大な水を綿花畑に撒いた結果、その水は地下奥深くまで浸透していき、やがてその含塩層まで到達します。

その結果は悲惨でした。

含塩層から溶け出した塩分が大地に染みわたった水分をつたって地上にあがってきたのです。

これにより畑一面に塩が吹き出し、綿花は枯死全滅。

経済発展どころか、もはや元の牧草地帯に戻すことすらままならない状態になったのでした。

こうして、あの広大な東北地方ほどの広さを誇ったアラル海は、いまや消滅寸前。

豊かだったその周辺は、草木一本生えず、砂嵐が吹き荒れ、塩が舞って空を赤く染める、人も住めないような不毛の砂漠地帯となっていったのです。

そもそも「自然」というものは、人間ごときの浅知恵で統制《コントロール》できるような代物ではない、ということを自戒しなければなりません。

アメリカ西部の砂漠化

もうひとつ、例を挙げましょう。

ほんの300年ほど前まで、現在のアメリカ中央部には果てしなくつづく草原が延々と拡がり、そこにはバッファローによく似た草食動物のバイソン、それを餌《えさ》とするオオカミやコヨーテ、そしてモグラのように地下トンネルを作って生活するリス科のプレーリードッグなど、さまざまな動物が活動し、そこにインディアンたちが住み、狩りをし、自然界のバランスが保たれていました。

バイソンは草原の草を主食としますが、彼らは一箇所に留まることなく移動生活をしていたため、土が踏み固められることもなく、またプレーリードッグがトンネルを掘ることで、土を耕す効果が生まれ、さらに動物たちのフンが肥料となっていたため、どれだけバイソンが草を食べようとも、草原は尽きることなくいつも豊かに広がっていました。

そこにやってきたのが白人です。

北米の東海岸から上陸してきた彼らは、東海岸に住むインディアンを殺戮《さつりく》・虐殺を繰り広げながら駆逐すると、今度はアパラチア山脈を越えて西進をはじめましたが、彼らはそこに棲んでいたバイソンに目をつけます。

バイソンの毛皮は高く売れましたし、また、白人というのはもともと狩猟民族ですから、勇猛そうなバイソンを目の前にしてその血を掻《か》きたてられ、ただの〝遊び〟としてバイソンを殺戮しつづけます。

その数たるや、6000万頭もいたバイソンが一気に絶滅寸前に追い込まれるほどのすさまじさで、こうして生態系が大きく崩れはじめます。

さらに彼らは、そこに牧場を開いて牛や羊を飼うようになりましたが、この家畜たちがよくプレーリードッグの巣穴に足を突っ込んで骨折してしまう事故が起こりました。

すると、白人は考えます。

――おのれプレーリードッグめ！

皆殺しにしてやる！

こうして牧草地に大量の農薬が撒かれます。

確かに、それによってプレーリードッグは死滅したかもしれませんが、そんなことをすれば、鳥たちの餌となる草木の実まで冒《おか》し、鳥たちまで死滅してしまうことになってしまいます。

そうなれば、天敵（鳥）がいなくなったことでバッタなどの虫が大繁殖し、天を真っ暗に覆《おお》いつくすほどのバッタの大群が発生、これが通ったあとは草木一本生えない禿《は》げ地となっていきました。

さらに、バイソンとは違って、牧場の家畜たちは一箇所に留まって歩き回っていましたから、その重い体で土を踏み固めてしまいます。今までなら、プレーリードッグが巣を作ることで土を耕す効果を生んでいたのに、そのプレーリードッグも自らの手で殲滅《せんめつ》してしまいましたから、大地はどんどんカチカチに固められていき、草は育ちにくくなり、やがて辺り一面不毛の大地となっていきました。

そうしてついには、人が住むこともできない、砂嵐の吹きすさぶ荒野へと姿を変えていったのです。

インダス文明の滅亡

人間はこうした愚行を文明開闢《かいびゃく》以来、永々と行ってきたようで、古代文明のひとつ「インダス文明」の滅亡も、こうした環境破壊が原因だという説があります。

ひと昔前まで、インダス文明は「アーリア人の侵攻によって滅ぼされた」と考えられてきましたが、その割にはアーリア人の侵攻を裏づける証拠が何ひとつ見つからず、それどころか、これを否定する証拠ばかりが見つかり、現在ではほぼ否定されています。

そこで新たに持ち上がったのが「環境破壊説」です。

インダス文明を代表する遺跡モヘンジョダーロが発見されたときには、世界を驚かせました。

何しろ、この遺跡には常識外れなことが多い。

まず、古代遺跡には必ずと言ってもいいほどあるはずの王宮も神殿も城壁も見つかりません。

建物を調べてみると、ほぼ均等に部屋割りされており、豪奢で広い部屋、貧相で狭い部屋の区別がなく、古代にあって身分差別が存在した形跡すら見つかりません。

さらには、現代でも珍しい「碁盤目状に整然と道が走っている計画都市」。

しかし、それらのことより考古学者たちを驚かせたのが、街全体が焼き煉瓦《れんが》で構成されていたことです。

たとえば、これより1000年も時代が下った、あの〝人類史上初の世界帝国〟とも言われるアケメネス朝ペルシア帝国、その絶頂期の皇帝ダレイオス1世が造ったペルセポリス宮ですら、宮殿こそ焼き煉瓦ですが、街そのものは干し煉瓦でした。

焼き煉瓦を造るためには膨大な熱量を必要とするため、石炭や石油などの熱源を持たない古代においては、焼き煉瓦はたいへんな貴重なもので、大量生産が困難だったためです。

では、モヘンジョダーロは街全体を覆いつくすほどの焼き煉瓦をどうやって調達したのでしょうか？

そこで考えられたのが、「当時は緑豊かだったこの地域の森林を片っ端から伐採して作ったのではないか」という説です。

そうした過剰な森林伐採が行われた結果、自然のバランスが崩れ、環境破壊が起こり、保水力を失った大地は洪水を頻繁に引き起こすようになり、砂漠化が進み、やがては人も住めないような土地となっていったのではないか、と。

もっとも、これも「説」のひとつにすぎませんので、これが〝史実〟かどうかはまだ議論の余地を残すところですが、自然というものは、人智など到底およばない複雑なバランスのうえに成り立っており、目の前の小さな問題を解決しようとして、人間ごときが手を出せば、思いもよらないところで自然の絶妙なバランスが崩れ、それはときにひとつの文明を滅ぼすほどの「自然からの報復」を喰らうことになるのは確かです。

中国〝一人っ子〟政策

人口の増減も「自然の摂理」の動きのひとつにすぎず、人間の浅知恵で統制《コントロール》できるような代物ではありません。

それを無理矢理に統制《コントロール》しようとすれば、ロシアのように、アメリカのように、インダス文明のように、必ずやそれ以上の手痛いシッペ返しを喰らうことになります。

それを中国がやらかしました。

現代中国（中華人民共和国）がまだ建国されたばかり（1949年）のころ、中国政府は「人口は国力！」とばかり、人口増進策を実行しました。

そのころはまだ蔣介石《ジャンジェーシー》政権（中華民国）との戦《いくさ》に明け暮れていましたし、また、長い戦乱で荒廃した国を復興させるために、労働力はどれだけあっても足りなかったからです。

ところが、そうした人為的作為的に人口操作をした結果、建国当初5億人程度だった人口は、あれよあれよ、わずか30年の間に倍近くの10億人に迫り、あまりの急増に狼狽《ろうばい》した政府は、それならとばかり、今度は「人口抑制策」に転じます。

これが所謂「一人っ子政策(1979〜2015年)」です。

しかしながら、こうした極端な人口抑制策を実施した結果、高齢化・労働力不足・男女出生率の偏り・小皇帝の発生などなど、社会の隅々にいたるまで、中国の体制の根幹を揺るがしかねないほどの深刻な歪《ひず》みを生むこととなり、ついに政府も政策の誤りを認め、先年、これを取りやめました。

すべては、自然の摂理を人工的に統制《コントロール》しようとした天罰です。

じつははるか昔の春秋戦国時代、李耼《りたん》(老子)がこう言い遺しています。

――国を治むるは小鮮《しょうせん》を烹《に》るが若《ごと》し。(『老子道徳経』第60章)

政治というものは必要以上に引っかき回してはならない。

人間の浅知恵でこれを引っかき回すならば、必ずや人智の及ばぬところで歪みが生まれ、改革前以上の混乱を招くことになるだけだ、と。

中国は、社会主義（社会は人工的に統制できるという理念）に冒《おか》された結果、こうした先人のありがたい教えをまったく忘れ去りました。

その結果がこの有様です。

しかし、中国はどうしても過去から学ぶことができません。

「一人っ子政策」を廃止したかと思ったら、今度は「二人っ子政策」を打ち出し、それも効果がないとわかると、次に「三人っ子政策」を打ち出す。

社会主義思想の悪弊か、そもそも「人口を統制《コントロール》しよう」と思うこと自体が愚策だということにどうしても気がつけない。

中国は、この報いをこれからじわじわと何十年、いや何百年もかけて支払わされることになるでしょう。

人口増加は〝諸刃の剣〟

そもそも人口減少の危機を煽《あお》る人々は、「人口が増加しさえすればすべてが解決する」ような口調ですが、それは明らかな誤りです。

ここ150年の日本は「人口増加」を大前提として政治・社会・経済のシステム作りが行われてきました。

そのため、人口増加こそが〝絶対善〟であり、減少は〝絶対悪〟だと社会全体が思い込まされています。

聖書（創世記）の中にも「産めよ、殖《ふ》えよ、地に満てよ！」という言葉がありますが、当時、政体は「君主政」、経済は「農業」、軍事は「槍《やり》と弓」という時代で、そうした社会においては「人口こそが国力」だったために、「神のご命令」という形で書き記したにすぎません。

しかし、物事すべて森羅万象《しんらばんしょう》「過ぎたるは猶《なお》及ばざるが如し」。

薬も過ぎれば毒となり、名の木も鼻につく。

国の「力」ともなり「支え」ともなる人口も、一定限度を超えると、逆に国を蝕《むしば》む「元凶」となっていきます。

人口統制《コントロール》とは、「子猫のように近づいてくるのでこれを育ててやると、気がついたときには虎となって牙《きば》を剝《む》き、飼い主を喰い殺す」という、決して飼い慣らすことのできない猛獣なのです。

中国の人口推移

そのことを、中国の歴史から紐解いてみましょう。

日本に「漢委奴国王印《かんのわのなのこくおういん》」を授けたとされる光武帝《こうぶてい》（劉秀《りゅうしゅう》）が後漢王朝を打ち建てたころ、中国の全人口は2000万人ほどでした。

以後、安定した王朝と平和な社会を背景にして人口はどんどん増えていき、それからたった100年後の王朝中期には6000万人まで跳ね上がります。

初めこそ、人口増加は社会にプラスとして働き、労働力の増加は経済を押し上げ、豊かさをもたらし、王朝のさらなる発展を後押ししました。

そしてその豊かさがさらなる人口増加を下支えしていきましたが、一方で、豊かさは政治社会に腐敗を浸透させ、また、土地の開墾は等差級数的にしか増えないのに、人口は等比級数的に増えるため、ついには人口を支えきれなくなって、富の偏在が急速に加速していきます。

——富める者はますます富み、

貧する者はますます貧す。（『新約聖書』マタイ伝13章12節）

ひとたびバランスを崩した社会が崩壊するのは人間の想像をはるかに超えて早い。

そして、その先に待つものは「乱」。

このときは張角《ちょうかく》を指導者とする「黄巾《こうきん》の乱」という形となって現れ、国は乱れに乱れ、世は『三國志』の乱世へと突入します。

そうした戦乱の時代の中で、6000万人まで膨れあがっていた人口は、見る間にその数を減らし、一時は10分の1近く、700万人程度にまで落ち込んでしまいました。

以後、400年近くにわたって世は乱れた（魏晋南北朝時代）ため、人口は1000万人前後で推移しましたが、唐王朝の時代になって久方ぶりの安定政権が生まれると、ふたたび人口は5300万人まで膨れあがります。

つまり、平和が人口を増やしますが、人口増加は最初こそ経済発展に寄与するものの、一定レベルを超えると、社会の歪みを拡大させる元凶となってさまざまな社会問題を引き起こし、それが人口を減らす力学として働くのです。

そうして人口が一定レベルまで減ると、〝元凶〟がなくなることによってふたたび平和が訪れ、それがまた人口を押し上げる。

社会とは、こうして増えたり減ったりを繰り返しつつ、全体として一定を保とうとする力学が働くことでバランスを保っているのです。

つまり、「人口増加」とは〝国の発展を支える礎《いしずえ》〟であると同時に〝国を滅ぼす元凶〟ともなるわけです。

このように、歴史を学ぶことで「人口減少」が必ずしも「悪」とは言えないことが理解できるようになります。

日本の人口推移

それでは、振り返って日本の人口の歴史も見てみましょう。

日本の場合は、中国のようにあまり極端な乱高下はほとんど見られず、太古の昔より数千年にわたってゆるやかに、ゆっくりと、安定的に人口が推移していました。

これは、日本という国が山と海に囲まれた平野の少ない小さな島国という哀しさ、中国のように豊かで広大な土地を持ち合わせていなかったため、たとえ政治が安定しても、人口爆発を支えるだけの経済力がなかったためです。

ところが明治（1868年〜）に入ると突如として、空前の人口爆発が起こり、それが現在までつづくことになりました。

何故か。

当時、長らく鎖国していた日本に、土足でズカズカと上がり込んできたアメリカは力ずくでその門戸をこじ開け、日本を国際社会の中へ放り投げました。

そうして日本が投げ出された世界は「帝国主義」一色。

それは、強い国・強い民族だけが〝正義〟であり、その〝正義〟の名の下、弱い国・弱い民族はただただ隷属するか、亡んでいくという選択肢しか残されていない世界です。

アメリカに首根っこをつかまれ、そうした世界へと引きずり出された日本は、好むと好まざるとにかかわらず、殖産興業・富国強兵に邁進《まいしん》せざるを得ません。

これに乗り遅れれば、白人列強の奴隷国家に堕《お》とされる運命が待ち受けているだけだからです。

こうして日本はまもなく産業革命を興し、爆発的に経済力を高めた結果、これに下支えされて人口も爆発的に増えることになったのでした。

敵国の侵掠《しんりゃく》から祖国を守るためには軍事力の増強が欠かせず、これを支えるのが兵の数でしたから、人口増加は軍部の要請でもありました。

人口減少は〝自然の摂理〟

しかし、その「帝国主義時代」は矢のように過ぎ去り、戦後は新憲法で「戦争放棄」を謳《うた》い、アメリカの庇護《ひご》の下に置かれて、「戦争の脅威《きょうい》」はなくなったにもかかわらず人口増加はつづきました。

今度は「戦後復興！」を掲げ、戦争で減った労働力の補充が必要だったからです。

こうした歴史背景により、この「日本史上類を見ない異常にハイペースな人口増加」が、明治維新以来150年にもわたってつづくことになりました。

このため、ほとんどの人が「これが常態」だと勘違いしてしまっていますが、数千年の歴史を振り返れば、ここ150年の人口増加こそが、特殊な時代背景から生まれた〝異常事態〟なのです。

そして、それも今や〝歴史的役割〟を終えました。

傷ついた皮膚には傷穴を塞ごうとしてかさぶたができるように、社会にも〝治癒能力〟があり、「常態」へ戻ろうとする力学が働きます。

今、私たちが直面している「人口減少」は、まさに社会に「異常」から「常態」へと戻ろうとする力学が働いているにすぎないのであって、巷間《こうかん》、専門家たちがその原因としていろいろと論《あげつら》っている事象（子育てする環境が整っていない、未婚者の増加、デフレ進行など）はすべて表層的なものであって、根本的・本質的なものではありません。

我々に与えられた2つの「道」

問題は、この150年ですでに日本の政治・経済・社会制度の隅々に至るまで「爆発的人口増加を大前提とした社会構成」となってしまっているため、社会が新しい時代（人口減少）に対応できなくなっていることです。

そこで、岐路に立たされた私たち日本人の前には、2本の「道（選択肢）」が延びています。

ひとつは「これまでの人口増加を前提とした旧い社会システムを一切変えずに、あくまで社会に合わせて人口増加する努力を傾ける」こと。

そしてもうひとつは、「人口減少を受け容《い》れ、人口減少に対応できる新しい社会システムへの改革へ舵《かじ》を切る」ことです。

一方は「安易ですが亡びへの道」。

もう一方は「険しいが再生への道」です。

幕末を例に考える

どちらが正しい道か。

それも、歴史の中から答えを導き出すことができます。

たとえば幕末。

当時の問題は、「260年かけて構築された旧い幕藩体制」では「帝国主義という新時代」にまったく対応できないことは誰の目にも明らかだったことです。

そこで日本が採るべき道は2つありました。

ひとつが「断固としてこれまでの現体制（幕藩体制）を守り通し、そのために鎖国を維持することに全力を尽くす」という道。

「佐幕派（攘夷《じょうい》派）」はこの道を進もうとします。

もうひとつが、「開国を受け容れ、旧体制（幕府）を倒し、一刻も早く新時代（帝国主義）に適応できる新しい政治・経済・社会システム（明治政府）を構築する」という道。

「倒幕派（開国派）」はこの道を進もうとします。

どちらの選択が日本を救ったかは言うまでもありません。

これを、今の日本に当てはめると、

・幕藩体制＝人口増加を前提とした現在の社会システム
・鎖国　　＝人口増加
・帝国主義＝人口減少
・明治政府＝人口減少に対応できる新しい社会システム

……となり、これに照らし合わせて考えれば、今まさに日本は、「人口減少」という〝黒船〟にどう対処するかを迫られた幕末日本のようなものです。

「人口増加（鎖国）維持に努力」することが如何《いか》に愚かしく、「人口減少に対応できる新しい社会を構築（明治維新）する方向で努力する」ことが正しいかは議論の余地はありません。

ところが現実を見渡せば、巷間の〝有識者（と自称する者）〟たちは口を揃えて「如何にして人口を増やすか」の対策に大合唱という惨状です。

国を亡ぼす〝移民受け容れ〟

彼らは、時代の動きがまったく読めず、時代錯誤な「攘夷」を唱えた幕末の「佐幕派」と変わりません。

――歴史は繰り返す。

しかし、歴史に学ばぬ者たちは

同じ状況で同じ過ちを繰り返す。（W《ウィンストン》・チャーチル）

時代は〝旧〟から〝新〟へと移り変わっているのに、どうしてもそれが理解できず、〝旧〟に執着し、これを守ろうとして社会を混乱に導く者はいつの時代にも必ず現れますが、彼ら〝無自覚の売国奴〟をどう抑え込むかが、その社会・国家の生き残りの分岐点《ターニングポイント》となります。

「現代の佐幕派」の中には、どうしても「人口増加」が叶《かな》わぬと悟ると、事もあろうか、「ならば、移民を受け容れよう！」などと言い出す者まで現れる始末。

それこそ、人口減少問題など比較にならない重篤な社会問題を引き起こすことは目に見えていますが、歴史も見えていない、目先も利かない彼ら「佐幕派」にはそんなことすら理解できません。

ドイツ、移民政策を後悔

移民問題といえばドイツ。

ドイツでは戦前、A《アドルフ》・ヒトラーの大号令の下、異分子たるユダヤ人の排斥運動が盛んに行われました。

このときに殺されたユダヤ人の実数は、あまりにも多すぎてよくわかっていませんが、ユダヤ人らは「600万人」と主張しています。

（もっともこれは多分に政治的思惑の込められた数字であって、最近の研究で実際にはもっと極端に少なく「150万人程度」という説も出ています。）

その反動として、ドイツは戦後「多文化主義」を提唱し、さかんに移民を受け容れるようになりました。

その数たるや、戦後の四半世紀（1970年代）だけで200万人、さらに四半世紀後（1990年代）には、ドイツ国民の1割弱が移民という状態になります。

その結果はどうなったか――。

2010年、メルケル首相をして「多文化主義は完全に失敗した！」と発言させるほどの惨状となります。

ドイツとしては、「困っている人は移民として受け容れるが、いずれはそれぞれの祖国に帰ってもらう」と考えていたようですが、そんなわけがありません。

祖国で生きていけなくなった難民たちがドイツに押し寄せ、そこにいれば命が脅《おびや》かされることもなく、仕事がなくても生活保護を与えてくれる安住の地となれば、どうしてわざわざ苦労して命を危険に晒《さら》してまで祖国に戻ろうとするでしょうか。

こうして多くの難民がドイツに定住することになりましたが、彼らは人種も違う、言葉も違う、文化も、宗教も、行動様式《エートス》もまったく違う人たちです。

そうした根底から異なる価値観を持った者たちが、同じ共同体の中で住まえば、必然的にさまざまな社会問題を誘発することは最初からわかりきったことであるのに、移民推進論者はそのことにまったく触れようとしません。

移民の40％は失業者で、彼らに支払われる「生活保護」費は、当然ドイツ国民が汗水流して働いた税金から支払われることになります。

こうして衣食住を賄《まかな》ってもらいながら、所詮《しょせん》は「よそ者」、移民側でも大した恩義も感じず、凶悪な犯罪を犯す率もドイツ人のそれより圧倒的に高い。

ドイツ人にしてみれば、「住むところを与えてやり、タダで食べさせてやっているのに、犯罪の温床になって我々に牙を剝く」状態で、ドイツ人の中からも「移民どもは出ていけ！」と排斥運動が起こるようになっていったのは当然の流れで、メルケル首相の「失敗した！」発言へと繫《つな》がっていきます。

しかし、この発言後、メルケル首相が移民政策をやめたわけでもなく、現在も移民を受け容《い》れつづけています。

なんとなれば、一度でも移民を受け容れてしまえば、「やっぱり全員出ていけ！」と言えなくなるどころか、移民政策を引き締めることすら、政治を理解できないエセ人道主義者から「非人道的」と非難を喰らってしまうためです。

「移民政策」とは、「一度足を踏み入れたが最後、あとから『しまった！』と気づいて足を抜こうとしてもすでにあとの祭り。あとは藻掻《もが》いても藻掻いてもズブズブと落ちていく〝底なし沼〟」であって、二度と後戻りはできません。

そこでメルケル首相は、なんとか移民をドイツ社会に溶け込ませようと、さまざまな〝同化政策〟を講じますが、そんなものは戦前の日本の「皇民化政策」同様、所詮は「異民族」なのです、うまくいくわけがありません。

移民を肯定する人たちはきれい事の限りを並べ立てますが、どれほどきれい事を並べ立てようが、現実は厳しい。

――国内問題を国内で解決できない国は亡びる。

そもそも、国内の問題を「外」に頼ろうとする、その理念が根本的に間違っています。

人類悠久の歴史において、自国の問題を自国で解決できず、外国の力に頼ろうとした国は、確実に亡びの道へと一直線となっていきました。

その例を挙げようとすれば、あまりにも類例が多すぎてどれを挙げればよいか迷ってしまうほどですが、たとえば。

小さな都市国家にすぎなかったローマは、あれよあれよという間に領土を拡げ、人類史上空前絶後の「地中海統一」を成し遂げ、豊かな生活を手に入れることができましたが、それを支えてきたのが「ローマ人による屈強な軍事力」です。

しかし、「豊かさが富の偏在《へんざい》を生む」というのは、すでに見てきたとおり。

やがて、そうした富の偏在がローマを支えてきた「屈強な軍事力」を弱体化させる一方、ローマは地中海帝国にまで膨張した結果、周りをゲルマン諸国に取り囲まれる形となります。

つねにゲルマンの圧迫と戦わざるを得なくなっていたにもかかわらず、帝国軍は弱体化し、徐々にゲルマン軍に勝てなくなっていきました。

この問題解決に当たって、ローマは「軍制改革」を実施して国内で解決するという〝困難ではあるが正しい再生への道〟を選ばず、「ならば、屈強なゲルマン人の傭兵を雇えばよいではないか」と、〝安易ではあるが亡びへの道〟を選択してしまいます。

その結果は、言うまでもなく。

ローマ帝国は見る間にゲルマン人傭兵（オドアケル将軍）に乗っ取られ、やがて亡びることになりました。

自国の問題を自国民の力で解決することを放棄し、それを「外（異民族の力）」に求めた結果がこれです。

しかし日本は、今まさに「外（移民）」に求め、〝亡びの道〟を突き進もうとしています。

振り返って人口減少問題

とはいえ。

旧から新へと脱皮するためには、相応の〝痛み〟を伴うことは間違いありません。

これから我々が為さねばならないことは、「人口減少による弊害を煽る」ことでもなく、「人口が減少したらどうしよう⁉」と狼狽することでもなく、「減少しないように努力する」ことでもありません。

「明治以来の〝人口増加を前提とした旧社会〟から〝人口減少を前提とした新社会〟に体質改善を図る」ことです。

恐竜は環境の変化に耐えられず、そのほとんどは滅亡していきましたが、その中でも「鳥」という進化を遂げた種は、新しい環境を生き存《なが》らえ、現在に至るまで繁栄することができました。

時代が移り変わるとき、新時代を生きる資格を持った者は、新時代にその身を「進化」させることができた者のみだということを歴史から学ばなければなりません。

今の日本が21世紀も生き延びることができるかどうかは、「人口増加社会」から「人口減少社会」への環境変化に日本社会を適応させることができるかどうかにかかっています。

断じて、「人口増加」に執着することではありません。

それは「亡びの道」です。

CHAPTER 11

日本の教育改革は「科挙」の二の舞か!?

その国の未来を支える若者を育てるのが〝教育〟です。教育こそが国の根幹といっても過言ではありませんが、じつは、現在行われている日本の教育改革は、中国を亡ぼした選抜制度「科挙」の轍《てつ》を踏もうとしています……。

わが国では、終戦直後の1947年に教育大改革が断行され、「旧制」から現行の「新制」へと移行しましたが、このときの改革目的の最たるものが「熾烈《しれつ》をきわめる〝受験戦争〟の撤廃」「丸暗記偏重教育の撤廃」でした。

にもかかわらず、それはモノの見事に失敗に終わります。

うまくいかないどころか、教育改革が断行されるたびに悪化の一途。

――皇帝《カイゼル》は去っても将軍が残る。

将軍が去ってもナチスが現れる。

20年ほど前、同じ目的をもって「ゆとり教育をはじめる」と騒がれはじめたとき、筆者は予備校の教室で叫んでいたものです。

――この教育改革は必ず失敗する。

そして、それだけにとどまらず、「この〝ゆとり教育で育てられた世代〟が日本の経済を担うようになったとき、今回の教育改革の失敗のツケを20年、30年かけて支払わなければならないことになるだろう」と。

「ゆとり教育」の理念は悪くなかった

筆者の〝予言〟は見事に的中し、ゆとり世代が社会人となると、それまで当たり前のようにできていたことがまったくできない若者が続出し、産業界を狼狽《ろうばい》させることになりました。

そこに至ってようやく政府も「ゆとり教育」の失敗を認め、これを脱却することになりましたが、あまりにも遅きに失しています。

2016年5月、文部科学省の馳《はせ》浩《ひろし》大臣が「ゆとり教育と決別する！」と発言したことに関して、ゆとり世代の若者が、

「ああそうですか、我々は失敗作ですか！」

……と反発したことが報道されましたが、残念ながらその通りです。

紛《まご》うことなき「失敗作」です。

もちろん、若者に罪があるわけではありません。

罪は文部省と日教組をはじめとする、この「ゆとり教育」を推進した者たちにあ

ります。

ただ、「ゆとり教育」を始めようとした、最初の〝理念〟そのものは悪くありません。

――丸暗記偏重の詰め込み教育を是正しよう！

なるほど、それは是非とも是正してもらいたい。

しかし、そのやり方がトンチンカンです。

――だから、授業時間を減らそう！

どうしてそこで「授業時間を減らそう」になるのか。

問題なのは「丸暗記教育」であって「授業時間」ではありません。

こたびの改革の失敗は「教育」の本質をまるで理解できていない者たちが教育を引っかき回したことによる〝惨事〟です。

そして今また、この「ゆとり教育」と入れ替わりで、ふたたび教育改革が叫ばれています。

1979年から「共通一次試験」「センター試験」と40年にわたってつづいてきた大学受験システムに大ナタが振るわれることになりました。

2020年の「センター試験」を最後として、2021年からは「共通テスト」に切り替わったのです。

一応お題目は「思考力・判断力を重視した試験へ」ということですが、筆者はこたびの改革も「大山鳴動《めいどう》ねずみ一匹、たいした変更はないだろう」と広言していましたが、蓋《ふた》を開けてみれば、そのとおりでした。

さほどに教育改革とは至難の業《わざ》なのです。

貴族に断然有利な「科挙」――中国［隋唐］の場合

そこで、歴史を振り返って、中国における選抜システムについて見ていくことにしましょう。

中国では、あの「三國志」を制した晋朝から南北朝（3～6世紀）にかけて貴族が力を付け、貴族の子弟であればどんな無能でも政界を牛耳《ぎゅうじ》り、貴族の出でなければどんなに優秀でも出世できないという弊害が著《いちじる》しくなっていました。

そこで、300年ぶりに天下を統一した隋《ずい》の文帝は、家柄や身分など出自《しゅつじ》に関係なく、誰でも受験できる統一的な試験を導入することで、広くすぐれた人材を発掘しようという「官吏登用システム」の大改革に乗り出します。

これこそが、以来、隋唐から明清まで1300年にわたって施行されることになった「科挙（598〜1898／1905年）」です。

しかし、その改革理念そのものは素晴らしいものでしたが、「理想そのものはご立派でも、実態が理想についてこない」というのは、日本の教育改革と同じ。

確かに受験資格に制限はありませんでしたが、現実問題として、幼いころから私塾に通ったり家庭教師をつけるなど、徹底した受験勉強に専念しなければ合格はおぼつかなかったため、物心ついたころから働かなければ生きていけない貧しい者たちに合格の可能性はほとんどなく、合格者はやっぱり貴族の子弟ばかり。

そのうえ、貴族は自己の権益を守るため、徹底的に科挙の精神を骨抜きにしていきます。

どんなに教育を施しても科挙に合格できないボンクラ息子をなんとしても高官に

就《つ》けるため、その救済措置として「親が高位の場合、その子にも一定の階位を保障する」という制度（任子の制）が採られました。

さらに科挙合格後も、配属先が貴族出身者に有利なようにされたため、せっかく貴族出身でない者が苦労して科挙に合格できたとしても、その配属先は木っ端《こっぱ》役人で、貴族出身者は高官に配属される……。

こうして、いつの世もどこの国でも、古い支配者層が〝抵抗勢力〟となって新しい改革案は骨抜きにされていきます。

貴族没落で本来の目的を達する――中国［宋］の場合

ところが、唐末五代の混乱の中で貴族が没落し、貴族の影響力が弱まったため、宋朝にはこうした弊害を取り払うことに成功しました。

「その出自にかかわらず、科挙に合格しなければ官吏になることはできない」という科挙の当初の目的は、抵抗勢力（貴族）の没落によってようやく達成されることになったのです。

依然として公教育の整備は行われなかったため、「物心ついたころから働かなければ生きていけない貧困層が合格することは至難」という問題は棚上げにされたままでしたが、それにしても「科挙に合格さえすればどんな出自の者でも最高官職に就くことは可能」という事実は強烈でした。

たとえば、貧民の子に〝神童〟が現れれば、村などの共同体全体でお金を出しあってでも、その子に英才教育を施し、科挙に合格してもらおうと躍起になります。

中国では、官僚になることが事実上ほぼ唯一の出世の途《みち》で、ひとたび上級官吏となれば、どんな赤貧の出であろうが、たちまち巨万の富を築くことができたため、受験は熾烈《しれつ》化していくことになります。

もっともその〝巨万の富〟は汚職によって、ですが。

熾烈極める受験地獄——中国［明清］の場合

こうして隋から始まった科挙は、改革に改革を重ねながら、唐宋を経て明清へと脈々とつづき、改革が行われるたびに科挙はどんどん複雑化し、難化していくことになりました。

その難化ぶりは、あまりにも難しすぎて合格者がほとんど現れず廃止された科目（秀才科）も出たほどです。

四書五経（易経・書経・詩経・礼記《らいき》・春秋・大学・中庸・論語・孟子）の全文を丸暗記することなどは基本中の基本、これ以外にもありとあらゆる古典にも通じていなければなりません。

さらに解答は「四六騈儷《べんれい》体（唐）」や「八股《はっこ》文（明清）」という規則でがんじがらめにされた非常に難しい文体で書かなければならないため、高度な文才も必要でしたし、詩文にも通じていなければなりません。

文字は完璧な楷書《かいしょ》体で書かなければならず、少しでも崩した書体で書けば、それだけで読んでもらえず落第。

これだけのことに通ずるためには、すぐれた教師に師事し、とてつもない時間とお金と努力を注ぎ込んでもまだ足らず、3年に一度しかない試験で、一浪二浪で合格できれば優秀、十浪すら珍しくなく、一生をかけて受験し、死ぬまで合格できない者が多く現れるすさまじさ。

清朝の時代の例でいえば、まず「県試」「府試」「院試」を勝ち抜いてきた英才50万人は「秀才（もしくは生員）」と呼ばれましたが、その〝秀才〟たちが「歳試」で10万人までふるい落とされて、ここでようやく科挙の「受験資格」を得ます。

そして、科挙の一次試験「郷試」で2万人まで減らされ、二次試験「会試」に合格できる者はわずかに200人程度。

「秀才」の中からここまで残る確率は、なんと2500人に1人。

現代日本の「国家公務員第Ⅰ種」ですら、20人に1人の合格率ですから、ケタ違いの難関です。

科挙で競い合う者たちは、時間もお金も努力も費やしてきた秀才ばかりで、これに合格しようと思えば〝運〟すら味方につけなくば、合格はおぼつかない世界。

そうやって全国から選りすぐりの者たちが選抜され、官僚となっていきます。

暗記力は高いけど……科挙の悲劇

しかし、困ったことに、こうして選ばれた選りすぐりの者たちは、

――人生のほとんどの時間を費やして膨大な古典を丸暗記した暗記と文才に秀でた者たち。

これらの知識、技能、文才は「政治家としての能力」となんら関係ないという衝撃の事実。

そのうえ、過去の偉人たちを調べてみると、洞察力・理解力に優れた人は総じて暗記が苦手で、逆に暗記が得意な人というのは、洞察力・理解力が弱い人が多い。

どうやら「洞察力・理解力」と「暗記力」は相反する能力のようで、どちらかが優れている者はどちらかが劣っており、その両方が優れている者はゼロではありませんが、滅多にいません。

にもかかわらず、科挙では「すさまじい暗記力」を要求するのですから、洞察力・理解力のある真に優れた人材が極めて集めにくくなるという為体《ていたらく》に。

その弊害は、19世紀になって一気に表面化します。

このころ産業革命を背景とした強大な軍事力をもって、白人列強が中国を植民地とするべく侵掠《しんりゃく》してきたとき、彼ら白人外交官の目の前に現れた中国人の役人は、「ポエムを詠《よ》ませたら天下一品！」という無能。

これでは、外交で白人列強にいいようにあしらわれるのは道理。

こうして中国は国家利権を次々と奪われて、清朝が亡国への道をまっしぐらとなる一因となります。

蔓延する〝エセ教師〟――現代日本の場合

「政治家を選抜する試験」なのに、政治能力とは何ひとつ関係のない「暗記力と文才」を以《もっ》て選抜する。

ほとんどギャグのような話ですが、これが科挙の実態でした。

しかし、日本はこれをまったく笑えません。

まさに現代日本教育が「科挙そのもの」であるためです。

現在の日本の教育現場で、教師らは学生たちに学問の意味も意義も理解させることなく、ただ教科書や参考書に書かれた「受験頻出の字句」を闇雲に丸暗記させるのみ。

そうした「丸暗記の技術」「小手先の受験テクニック」を学生に伝授してご満悦、という〝エセ教師〟が蔓延《まんえん》しています。

ひと昔前にヒットし、最近ふたたびドラマ化された『ドラゴン桜』という漫画の主人公・桜木建二にしても、「ただただ小手先の丸暗記技術をたたき込むだけで、学問というものをまったく理解できていない劣悪教師（そもそも彼の本職は弁護士であって教師ではありませんでしたが）」でした。

そんな〝教育とも呼べぬ教育〟を徹底的にたたき込まれた学生で選抜（大学入試）が行われ、これに勝ち抜いた者が世間的、偏差値的に〝一流〟と呼ばれる大学に入っていき、やがては官僚や一流企業へと進んでいく惨状。

いったい「科挙」とどこが違うのでしょうか。

そうして、彼らの中から教師となる者が現れようものなら、自分たちが教わったとおり、学生たちにただの「丸暗記作業」を「勉強」と称して強要します。

しかし、丸暗記で詰め込んだ知識など、ひとたび社会に出たなら、クソの蓋の役にも立ちません。

丸暗記教育に染まった学生——日本の教育現場の惨状

筆者はふだん予備校で教鞭《きょうべん》を執り、「世界史」を教えていますが、こうした惨状には絶望感しかありません。

毎年毎年、「歴史（学問）は暗記ではない！」とどれほど声を嗄《か》らして叫ぼうとも、すでに小・中・高と12年間にわたって徹底的に「丸暗記教育」をたたき込まれ、「勉強＝丸暗記作業」と信じて疑わない学生たちの心に、私の言葉を届かせることは至難の業です。

私の言葉を聞いた受験生から、よくこう反論されます。

「先生、そうはおっしゃいますけど、歴史用語を暗記しないで、どうやって〝暗記〟するのでしょうか？」

——病膏肓《やまいこうこう》に入る。

ここまで来ると、もはや手遅れ。

彼らにとって「勉強＝暗記」は〝信仰状態〟に入っており、もう私の言葉の意味すら理解できないのです。

またこういう質問もよくされます。

「勉強って社会に出てから何かの役に立つのでしょうか？」

この質問もたいそう滑稽《こっけい》な質問で、そもそも「社会に出てから役に立つもの」を学問といいます。

もし、社会人になってから「学生時代に学んだことが役に立っていない」というなら、それは学生時代に自分が「勉強」だと思ってやってきた〝作業〟が「単なる丸暗記作業」であって、「勉強」ではなかったということにすぎません。

勉強などしたことがないのですから、役に立つわけがありません。

正しい「勉強」をしていたなら、それは社会に出てからものすごく役に立ちます。

「勉強」と「丸暗記作業」の区別すら付かない学生。

こんな学生が〝優秀〟などと評されて、政財界の中枢に入って日本を背負って立つようになる。

おぞましいかぎりです。

「教科書に書いてあること」「教師が板書したこと」をただ丸暗記するだけの教育

を、何の疑いもなく身に付けた人材は、社会の〝歯車〟として利用するには好都合で、戦後の復興期にはこうした〝歯車〟が役に立ちました。

しかし、社会が成熟期に入ったとき、もはやそうした人材は役に立ちません。日本がバブルを絶頂として、衰亡の一途を辿《たど》っている理由の一端でしょう。

この惨状を打破するためには、やはり教育改革は必須です。

しかし、冒頭でも申し上げましたとおり、それはきわめて困難です。

その一番の問題は、現場の教師たちが改革についてこられないこと。

それというのも、教師自身が「丸暗記教育」を受けて育ち、その〝腐敗教育〟を何の疑問も持たずに受け入れ、大学に入り、大学でも「学問」の何たるかも知ることもなく卒業し、教壇に立っている者たちがほとんどであるためです。

そうした教師が日々、自分が学生時代に教わった「受験テクニック」を教えてご満悦。

そしてそんなエセ教師に喝采《かっさい》を送る生徒たち、という惨状。

もちろん中にはこうした惨状を嘆く教師もいますが、そうした〝まともな教師〟は全体からみれば極めて少数派です。

そんな、丸暗記しかしてこなかったり丸暗記でしか教えることができないエセ教師に、政府が「暗記ではない理解に基づく〝ホンモノの学問〟を教えろ」といったところで、教師本人が「学問」の何たるかを知らないのですから、土台無理な話です。

丸暗記主義が日本を滅ぼそうとしている

以前、「英語の授業では英語しかしゃべってはいけないように教育改革を！」と叫ばれたとき、イの一番に反対したのが現場の英語教師でした。

なぜか。

自分が英語を話せないからです。

英語をまともに話せない輩《やから》が「英語教師」として教壇に立ち、教育改革を妨害する。

隋唐の時代、科挙においてその崇高な理念を握りつぶした貴族どもと何が違うのか。

英語が話せない者が教壇に立って、いったい何を教えているのか。

――日本人は中・高・大と10年にもわたって最も時間をかけて勉強するのが英語であるにもかかわらず、ちっとも英語を話せるようになれない。

よくこう批判されますが、そんなものは当たり前です。教えている英語教師が話せないのですから。

同じように、歴史教科においても「歴史の何たるかをまるで理解できていない者」が歴史教師として教壇に立っています。

彼らが知っているのは「歴史」ではなく、「歴史用語」と「その暗記術」にすぎません。

教師がこの有様では、政府がどんなに音頭をとって「教育改革！」「暗記ではなく理解を！」「もっと創造力、思考力のある若者を育てよう！」と叫ぼうとも、そんなものは〝念仏〟と変わりありません。

まずは、こうした「丸暗記でしか教えることのできないエセ教師」どもを教育界から一掃しないかぎり、どんな教育改革もハナから成功するはずがありません。

丸暗記主義教師どもが日本を滅ぼそうとしている。

しかし、彼らを滅ぼすのは不可能に近い。

中国が科挙の弊害を自覚しながら、ついに帝国滅亡（1912年）の直前（1905年）まで科挙をやめることができなかったのと同じように。

日本の未来は暗い。

PART 5

人間は歴史から学べない

歴史は繰り返すと言われますが、なぜ繰り返すのでしょうか。それは歴史から学んだものを「知識」として知っているだけで、咀嚼《そしゃく》・体得しておらず、それを実践に生かす術《すべ》を知らないからです。

CHAPTER 12

今も昔も「汚職は割に合う」からなくならない

政治家による汚職は、古今東西、国を越え、時代を越えてあとを断ちません。それは、権力と腐敗は表裏一体であって、「権力の集まるところ、必ず腐敗あり」、切っても切り離せないものだからです。


以前、筆者が友人の医師と呑《の》んでいたときの話です。

あるとき彼が新しく開院したところ、その土地で古くから開院していた開業医の患者を奪ってしまう結果となり、そこから厭《いや》がらせの限りを受けたそうです。

困り果てた彼は、その土地の代議士のもとを訪れて献金し、「かくかくしかじか、たいへん困っております」と告げると、件《くだん》の代議士、「皆まで言うな」という所作でこれを制して頷《うなず》き、その場で受話器を取ったかと思うと、「お前さんのとこは、うちの支援者に厭がらせをしているそうだな。これ以上なにかしたら許さんぞ！」とひとこと言って受話器を置き、「これでだいじょうぶだ」とにっこり。

するとそれ以来、同業者の厭がらせはピタリと止まったそうで、その医師も喜んでいましたが、この話を聞いたとき、筆者は思ったものです。

――電話一本で云《うん》百万か……。

こんな誘惑に勝てる者など、そうそういないでしょう。

そりゃ、汚職がなくならないわけです。

政治腐敗で亡んだ政府は数知れず

たとえば、中国歴代王朝の歴史を紐解《ひもと》きますと、それはつねに「宦官《かんがん》」と「外戚《がいせき》」と「官僚」の利権争いの歴史といっても過言ではありません。

宦官とは、皇帝のお側《そば》でその身の回りの世話をする者たちでしたから、皇帝の信頼を受けやすく、うまく立ち回れば皇帝を意のままに操って、私腹は肥やし放題。

彼らは去勢（陰部切断）された者でしたから、性欲が満たされない分、権力欲・金銭欲は尋常ではなく、ひとたび彼らが政権を握ると、すさまじい汚職が起こって国が傾くほどでした。

また、外戚とは皇后（皇帝の妻）・皇太后（先代皇帝の妻）・太皇太后（先々代皇帝の妻）の親戚のことで、彼らは、幼帝が立ったとき摂政の地位を得ることができましたから、ひとたび幼帝が出ると、次々と幼帝を廃立して権勢をほしいままにする傾向がありました。

その結果、外戚が王朝を簒奪《さんだつ》する（乗っ取る）など、珍しくもありません。

これに対して、官僚は政治の実務を担当する者たちなので、皇帝に意見具申あるいは諫言《かんげん》することができる立場でしたから、自分の意見を聞き届けてもらうためにむしろ成人皇帝を望みます。

中国の歴代王朝は、すべてこの三つ巴《どもえ》の戦いの中で亡んでいったといっても過言ではありません。

漢朝、宦官と外戚と官僚の権力闘争の400年

たとえば、中国史上初めて生まれた長期的統一王朝・漢の場合。

今から2200年ほど前、劉邦《りゅうほう》が項羽《こうう》を垓下《がいか》に破って天下を統一し、その後400年にわたる漢王朝の礎《いしずえ》を築きました。

しかし、その400年を紐解けばひとときも心の安まるときはなく、まさに「宦官と外戚と官僚の権力闘争の400年」だったのです。

そうした動きは、初代皇帝高祖劉邦が身罷《みまか》るや否や始まっています。

その喪も明けないうちから皇后・呂雉《りょち》の一族（外戚）が策動しはじめ、やがて官職を独占し、皇帝を意のままに廃立し、専横の限りを尽くすようになりました。

一時は漢朝が「呂《りょ》朝」に乗っ取られる寸前までいきましたが、漢朝にとって幸運だったのは、その直前に呂雉が死んでしまったこと。

呂后の才覚のみで保っていたような権力でしたから、彼女が亡くなるや、ただちに官僚を中心として漢復興の狼煙《のろし》が上がり、呂后の死からわずか1ヶ月後には呂氏は族滅（一族郎党皆殺し）され、その官僚たちによって擁立されたのが第5代文帝《ぶんてい》で

す。

そこからしばらくは官僚の時代となりましたが、今度は国を救った官僚そのものの汚職が国を蝕《むしば》んでいくことになります。

そうした綱紀の緩みを衝《つ》く形でふたたび外戚が頭をもたげ、第10代元帝《げんてい》の皇后（王政君《おうせいくん》）の一族が官職を独占し始めます。

ふたたび外戚の専横が激しくなり、その中の1人、王莽《おうもう》は呂氏ですらなし得なかった王朝簒奪をついに成し遂げ、新たに「新」という王朝を築くことになりました。

しかし幸か不幸か、王莽は人に媚《こ》びへつらい、汚い裏工作や根回しを講じ、政界に暗躍することにかけては天下一品でしたが、政治家・軍人としては無能を極め、彼が皇帝に即位するや否や、あれよあれよという間に国は傾き、再び漢の世に戻ります。

絶えることのない腐敗の温床

これを境として以後200年間は「後漢」と呼ばれますが、これまた、まともに親政が敷かれたのは最初の半世紀（光武帝《こうぶてい》・明帝《めいてい》・章帝《しょうてい》の三代）のみ。

章帝が亡くなったとき、新皇帝・和帝《わてい》はまだ10歳の幼帝で、これを契機として再び外戚の竇《とう》氏が幅を利かせるようになります。

一難去ってまた一難。

例によって国政を一族で独占して私物化し、汚職の限りを尽くす。

成人した和帝はこれを憂い、最も心を許して話せる宦官と結託して竇氏を除くことに成功しましたが、今度はその宦官が次なる〝獅子身中の虫〟となって国を乱します。

これを批判する形で再び外戚が力をつけてくる。

何度となく政治の腐敗を糾《ただ》しても、旧政権を倒した新勢力が腐敗の温床となるのみ。

以降、皇帝が亡くなるのを機に外戚が実権を握り、その後、皇帝が宦官と結んでこれを族滅――という壮絶な〝綱引き〟を延々と繰り返しながら王朝は衰えていくことになりました。

章帝死去↓章帝外戚・竇氏が専横↓新帝・和帝が宦官と結託してこれを族滅
和帝死去↓和帝外戚・鄧《とう》氏が専横↓新帝・安帝が宦官と結託してこれを族滅
安帝《あんてい》死去↓安帝外戚・閻《えん》氏が専横↓新帝・順帝が宦官と結託してこれを族滅
順帝《じゅんてい》死去↓順帝外戚・梁《りょう》氏が専横↓新帝・桓帝が宦官と結託してこれを族滅
桓帝《かんてい》死去↓桓帝外戚・竇氏が専横↓新帝・霊帝が宦官と結託してこれを族滅
霊帝《れいてい》死去↓霊帝外戚・何《か》氏が専横↓三国時代に突入

こうして並べてみると、苦笑してしまうほどモノの見事に同じことを繰り返して衰亡していっていることがわかります。

まったく歴史に学んでいません。

人間は歴史から何ひとつ学ばない

こうした歴史から学ぶことができるのは、外戚が王朝を奪おうが、宦官が政権を私物化しようが、官僚が政権を握ろうが、政治を私物化し、汚職の限りが尽くされていったという点において何ひとつ変わることがなかった、ということです。

人は表面的なものに目を奪われ、あるいは感情論に流されて、なかなか物事の本質を見抜くことができないものです。

目の前で汚職が行われていれば、感情的にその者に対する憎悪ばかりが膨らみ、これを非難する対立候補を支援したくなります。

しかし、それによってよしんば汚職政治家を追い落としたところで、じつのところ何の解決にもならないことを歴史が教えてくれています。

一緒になって汚職議員を追い落とし、新たに政権の座に就いた対立候補自身が同じ（あるいはそれ以上の）汚職を繰り返すだけです。

W《ウィンストン》・チャーチルは言いました。

——人間が歴史から学んだ唯一のことは、

人間は歴史から何ひとつ学ばないということだ。

蓋《けだ》し名言！

前都知事の舛添《ますぞえ》氏には〝汚職政治家としての嫌疑〟がかけられました。潔白であるならば堂々と釈明すればよいだけのものを、説明責任すら果たさず、知らぬ存ぜぬで逃げ口上しか口にしないのですから、嫌疑というより〝真っ黒〟です。

しかし、彼を糾弾《きゅうだん》して辞職に追い込んだところで、次の汚職政治家が立つだけのこと。

漢王朝同様、何ひとつ前に進んでいません。

単に〝ふりだし〟に戻っただけのことですが、一般大衆のほとんどはこれで溜飲《りゅういん》を下げ、満足してしまいます。

しかし、それでは何の解決にもなっていないということを理解しなければなりません。

そうではなく「なぜ彼が汚職ができたのか」「それを可能とした環境・制度は何なのか」を究明し、それを潰《つぶ》さないかぎり、同じことが繰り返されるだけです。

しかし。

理屈はそうなのですが、じつのところ、それはほとんど不可能です。

なぜか……。

実入りの割に罪が軽い？　汚職の罪深さ

さきに見てまいりましたように、漢朝滅亡の原因は「汚職」といってもいいですが、それは漢朝に限ったことではありません。

古今東西すべての国家における滅亡の原因は、究極的にはすべて「汚職」と言っても過言ではありません。

表面上は、政変《クーデタ》による滅亡、叛乱《はんらん》による滅亡、革命による滅亡、外民族の侵入による滅亡、それこそ千差万別ですが、そのすべての根底に「汚職が国を傾かせた」という事実があるためです。

その国の政治が健全でありさえすれば、そもそも政変《クーデタ》も叛乱も革命も起きず、外民族の侵攻も撃退できたことでしょう。

汚職というものは、一つひとつを見れば大した罪でもないように見えるかもしれませんが、それが重なれば国を亡ぼし、幾千幾万もの人々を死に追いやる大罪です。

そうした意味では、どんな残忍冷酷な連続殺人犯より比較にならないほど罪は重い。

にもかかわらず現実には、そのような大罪に与えられる罰はせいぜい「辞職」がいいところ。

犯した罪の重さに比べてあまりにも軽すぎます。

これでは実入りが大きい割に、バレたところでその罰が大したことはないのですから、その罪を犯す誘惑に勝てないのも仕方ありません。

つまり、汚職政治家が後を絶たないのは「制度上の欠陥」があるためで、制度の改善を図らないかぎり、汚職政治家が減ることは決してありません。

――悪い臭いは元から断つべし！

現在のような「汚職政治家が現れるたびにこれを叩く」というのは、「糞便《ふんべん》の悪臭を取り除くのに、その横に消臭剤を置く」ようなもので、自己満足以外ほとんど意味がありません。

「汚職を行えば割に合わない」と思い知らせるのは無理

ではどうすればよいか。

答えはカンタンです。

現在の法制度では、犯した罪に対して罰が軽すぎるのが問題なのですから、相応の罰則を与えて「汚職を行えば割に合わない」と思い知らせることです。

たとえばですが、次のような「厳罰」を。

――汚職が発覚した場合、政治家本人は死刑のうえ、

公金横領分は罰金も含め20倍にして返金させ、

それができない場合、議員の一族郎党の財産で弁済させる。

ほとんどの人は「罪の大きさを罰の重さでしか量れない」ため、厳罰にすることで汚職がいかに重い罪かを認識させる効果が生まれます。

これを実行すれば、汚職抑止に絶大な効果はあることに議論の余地はありませんが、これが現実になることは決してありません。

なんとなれば、「汚職をする当人」たちが「法律を作る立場」にあるからです。汚職に首までどっぷり浸《つ》かっている議員・政治家が、「汚職厳罰化法案」を通すわけがありません。

まったく以《もっ》て「泥棒に金庫の番人をさせ」ているようなもの。

権力の座にある者は、自分の犯した罪に対しては罰は甘く、そしていくらでも逃げ道を用意して私腹を肥やしつづけるのです。

だから、人類はどうしても汚職を追放することができません。

玄宗、お前もか……唐朝の場合

権力の座にある者が、我が身を律することの困難さとして、歴史からひとつの例を。

漢朝が滅亡して以来の長期政権が唐朝です。

唐朝も300年の永きにわたり東アジアに君臨した大帝国ですが、そんな偉大なる帝国でも、やはり外戚の弊害を取り除くことはできませんでした。

唐朝が最大版図を形成したときの皇帝は第3代高宗《こうそう》ですが、その皇后・武照《ぶしょう》が王朝簒奪を行い、外戚王朝「周」を建国し、唐はいったん滅亡しています。

しかしこれも同じ外戚王朝の「新」同様、15年で亡び、政権は再び元の唐朝に戻りました。

この唐朝復興に尽力した人物こそ、第6代玄宗《げんそう》です。

玄宗皇帝は自らの経験から、二度と外戚が専横することのなきよう、そのライバル関係にある官僚を重んじ、外戚が政界に進出することを禁止する法まで発布しています。

ところが。

やがてその玄宗自身が美しい楊貴妃《ようきひ》に溺《おぼ》れるようになり、楊貴妃からおねだりをされると、自ら法を破り、次々と外戚（楊氏）を高官に取り立てていってしまいます。

こうして再び外戚が幅を利かせるようになり、それが「安史《あんし》の乱」を招いて、国は急速に傾いていくことになりました。

このような行為が何度となく歴代王朝を亡ぼし、また唐朝自身もいったん亡ぶ経験をし、その復興に尽力した玄宗皇帝ですら、それでも外戚の専横を防げなかったのです。

玄宗皇帝は決して無能な皇帝ではなかったにもかかわらず。

こうした歴史的事例、権力の座にある者が「自らを律する」ことの至難さを教えてくれます。

――汚職はつづく……。

左様なわけで、「唯一の解決策」はさまざまな方面から鎖《とざ》されていますから、この問題は日本政府が亡びるその日まで解決することはないでしょう。

ただ汚職政治家が見つかるたびに、感情的にこれを攻撃し、辞職に追い込めたり、追い込められなかったり。

その繰り返しの中でただただ一喜一憂しているうちに、国はどんどん汚職政治家たちによって体力を奪われて衰亡していきます。

日本は今、まさに漢朝の轍《てつ》をそのまま辿《たど》っているのですが、その中にあって、これに気づく者は多くありません。

後漢の後期にあって、王朝が衰亡していることを理解できている者がほとんどいなかったのと同じように。

CHAPTER 13

贈収賄は政治の潤滑油？

政治家の金銭授受問題のニュースが報道されるたび、感情的に糾弾《きゅうだん》する声が高まります。しかしながら、そもそも政治と贈収賄は切っても切り離せない関係にあります。本当の問題は贈収賄自体ではなく、別のところにあるのです。

2016年1月。建設会社「薩摩興業」が甘利《あまり》経済再生担当大臣に賄賂《わいろ》を贈ったとされるマスコミ報道を受けて、会見にのぞんだ甘利氏は「覚えていない」「罠《わな》にハメられた」などの一点張りで、世論はさらに炎上。

——100万円もの大金を受け取っておいて
覚えていないわけがない！
——実際に賄賂を受け取っておいて
罠もヘッタクレもないだろう！

こうして問題発覚からわずか1週間後に、甘利氏は大臣辞任を発表しました。

しかしながら、筆者は「覚えていない」「罠にハメられた」という甘利氏の言葉は、彼のウソ偽りなき素直な気持ちなんだろうな、と感じたものです。

さきにも触れましたように、たかが地方の代議士ごときが「電話一本で云《うん》百万懐に入る」ほど、今の日本の政界は贈収賄が〝日常化・常態化〟しています。

ましてや大臣ともなれば、たかが100万ぽっちの収賄ごとき、あまりにも日常茶飯事すぎて、甘利氏が「覚えていない」のも当然と思えるからです。

普通の人が「3年前の云月云日、夕食に何食べたか」と問われて答えられないのとまったく同じレベルで「覚えていない」ことでしょう。

とすれば、こんな〝雀の涙〟程度のわずかな金額の収賄が、3年もたった今になって表沙汰になるなんて、「何かの陰謀が巡っているに違いない」という疑念が甘利氏の心に湧《わ》いてきて「ハメられた！」と口走ってしまったとしても不思議ではありません。

ひと昔前、鈴木宗男《すずきむねお》議員の収賄事件がマスコミをにぎわせたとき、議員の間で動揺が走り、ある議員はこう口走ったと言います。

——え!?　あれやっちゃいかんのか？

収賄があまりにも常態化しすぎて誰もが普通にやっているため、議員は汚職している感覚すらなくなっているのです。

汚職は〝当然の権利〟？

歴史を紐解けば、今回の収賄事件など〝かわいいもの〟で、たとえば中国などではスケールが違います。

中国では、そもそも役人になる目的が「公僕として国民に尽くすため」ではなく、最初から「汚職の限りを尽くすため」であり、そこに罪悪感など欠片《かけら》もありません。

たとえば、11世紀の北宋王朝。

第6代神宗《しんそう》の御代《みよ》、財政はすでに破綻《はたん》していましたが、その大きな理由は、汚吏《おり》どもが国家予算レベルで汚職をしていたためでした。

そこで王安石《おうあんせき》という人物が神宗皇帝の信任を受け、いわば〝聖域なき構造改革〟ともいうべき「新法」を次々と打ち出しました。

もちろんこの改革の根本は、こうした汚職の元を断つことです。

しかし、この改革に対して抵抗勢力の「旧法党」が猛反発。

唐宋八家のひとりとしても有名な蘇軾《そしょく》も旧法党の一員で、彼はこう吐き捨てています。

――新法などとんでもない！

我々が何のために苦労して科挙を突破し、官僚になったと思っているのだ。

すべては官僚として汚職の限りを尽くすためではないか！

「新法」など認めたら、我々は汚職できる特権を失ってしまう。

王安石はなんてひどいヤツだ！

自分が汚職していることを棚に上げて、汚職をなくそうとする王安石を糾弾してはばからないこの態度。

しかし、蘇軾が特別「悪党」というわけではありません。

彼の叫びは、当時の官僚の声を代弁しているにすぎず、官僚たちが汚職することになんの罪悪感もないどころか、当然の権利だと考えていることがわかります。

人類史上最大の汚職事件

それは昔のこと、今は違うだろう、などと思ってはなりません。

こうした気風は現在に至るまで変わらず、したがって「甘利大臣辞任！」の報道が伝わると、中国では驚きの声が上がっています。

――我が国では片田舎の農村の木っ端《こっぱ》役人ですら

もっと賄賂を受け取っているぞ。

――我が国ならその千倍、万倍の収賄だろうが話題にもならない。

さもありなん。

たとえば18世紀末、清朝の黄金時代を締めくくる第6代乾隆帝《けんりゅうてい》の御代、和珅《ヘシェン》という官僚がいました。

彼の容赦ない苛斂誅求《かれんちゅうきゅう》に民衆は怨嗟《えんさ》の声を上げ、ついに叛乱となって各地に狼煙《のろし》が上がったことがあります。

これが有名な「白蓮教徒《びゃくれんきょうと》の乱（1796～1804年）」で、帝国はこの叛乱を契機として衰亡の途を辿ることになりましたが、白蓮教徒の乱の責任を追及する形で、まだ即位したばかりの第7代皇帝嘉慶帝《かけいてい》は、和珅《ヘシェン》を弾劾《だんがい》しました。

そうして、その財産を没収してみたところ、なんと彼が汚職で得た財産は清朝の国家予算の15年分にも上るものだったといいます。

当時、清朝といえば、ユーラシア大陸の東半分を支配していた、当時世界最大級の大帝国。

その大帝国の国家予算の15倍!

これをたったひとりの汚吏が汚職で蓄財していたというのですから、文字通り〝ケタ外れ〟です。

いくら日本で大型汚職事件が起ころうが、国家予算並の汚職官僚などいません。まるでスケールが違います。

先に「日本の汚職などかわいいもの」と申し上げた意味も、これを知れば理解できるかと思います。

かように贈収賄というものは、国を傾け、世を乱し、国民を苦しめ、それによってひとたび叛乱・革命が起きれば、幾万、幾十万もの多くの人命を奪う行為となるわけですから、その罪たるや「連続殺人犯」などよりはるかに罪深いと申し上げたのもそういうわけです。

ロベスピエールの徳治政治

しかし、ここで注意すべきは、だからとって贈収賄が「絶対悪！」「断じてあってはならない！」「諸悪の根源！」「根絶やしにするべき！」などと言っているわけではないということです。

一般的にはそう思われがちですが、真実はそうではありません。

ではもし仮に、政治から本当に汚職を一掃することに成功したとしたら、どうなるでしょうか。

たちまち政治は安定するでしょうか？

いいえ。

事実は小説より奇なり、現実に政治から汚職をなくすと、政治社会は必ず混乱します。

その例を挙げれば、これまた枚挙に遑《いとま》がありませんが、ここではフランスを例に見ていきましょう。

先ほど登場した和珅《ヘシェン》が我が世の春を謳歌《おうか》していた18世紀の末というのは、フランスでは「フランス革命（1789～99年）」のまっただ中でした。

――世の中がこんなにも混乱しているのは、

すべて「王制」のせいだ！

諸悪の根源たる「王制」を倒すべし！

……とばかり、王様ルイ16世をギロチン送りにして（1793年）、共和国政府（国民公会）を打ち建ててみたものの、政治、経済、社会は悪化するばかり。

そのひどさは、王朝時代を懐かしむ者が出てくる有様。

こうした行き詰まりの中で頭角を現してきたのがロベスピエールです。

彼は叫びます。

――そもそも国民公会の政治がうまくいっていないのは、

政府中枢に汚職がはびこっているからだ！
「徳」に基づく徳治政治を行い、政府から汚職を
一掃することがフランスを救う唯一の道である！

ロベスピエールという人物はたいへん高潔な人物で、政界に入る前（弁護士）からも、独裁者となった後も、ぜいたくもせず、女性も抱かず、道楽もなく、清貧な生活をつづけ、ただひたすらに政務に打ち込みました。

もちろん賄賂など一切受け取りません。

彼が「清廉の士」「革命の良心」などと謳《うた》われたのも伊達《だて》ではありませんでしたが、彼はその〝高潔さ〟をすべての政治家に求めます。

汚職政治家をあぶりだし、これを見つけては片っ端からギロチン台に送り込み、いわゆる「恐怖政治」と呼ばれる政治を断行。

これにより贈収賄は政界から一掃され、政治はクリーンになっていきました。

では、政治がクリーンになったことによって、社会・経済は安定に向かったでし

ようか……?

水清ければ魚棲まず

いいえ。

政治は安定に向かうどころか、混乱と破綻はさらに拍車をかけていきます。

ロベスピエールは絶叫します。

——なぜだ? なぜうまくいかない!?

なぜ「汚職を一切しない清廉潔白な士」が徳治政治を行い、汚職政治家を片っ端から殺し、政治をクリーンにしたのにもかかわらず、政治がうまく回らないのでしょうか。

そのヒントは、ミラボーが自らの臨終にあたって、ロベスピエールに言い遺した助言の中にありました。

「ロベスピエールよ。

人というものは清もあり濁もあり、欲もあり恥もあり、それを一緒クタに抱えながら生きておるものなのだ。それに対して君は純粋だ。しかし、それを他人に求めてはならん。人間とはお前が思っているよりずっと弱く、そして醜いのだ！」

しかし、ミラボーの助言《アドバイス》の意味がロベスピエールには理解できず、彼は自分の高潔さをすべての人に求め、恐怖政治へと走っていきました。

古今も洋の東西も違いますが、後漢時代の班超《はんちょう》という人物も、ミラボーと同じような意味の発言をしています。

班超は西域都護（地方長官）として優れた政治手腕を発揮していましたが、やがてその任期が切れ、後任に戊己校尉《ぼきこうい》の任尚《にんしょう》という人物がやってきました。

赴任にあたって任尚は、前任者の班超の下を訪れ、西域経営の心構えをたずねています。

班超が答えます。

「あなたは少々潔癖すぎるきらいがあるようですが、それでは統治はうまくいきませんぞ。

昔から〝水清ければ魚《うお》棲《す》まず〟と申します。

小過（多少の汚職）は黙認し、大綱（重大犯罪）だけを抑えるといった、大らかな統治で臨むのがよいでしょう。」

しかし、ロベスピエールがミラボーの言葉の意味を理解できなかったのと同じように、任尚もまた班超の言葉の意味が理解できませんでした。

「どんなありがたい言葉が聞けるかと思ったら、つまらぬ説教を聞かされただけじゃったわい！」

こうして班超の忠告は無視され、任尚はどんな小さな贈収賄も見逃さない厳格な統治をもって臨んだところ、たちまち各地に叛乱が発生して西域経営は破綻してしまいました。

政治家に必要なのは「徳」か「才」か

もうひとつ、ロベスピエールの失敗した理由は、彼が哀しいまでに政治家として無能だったこと。

「清廉潔白である（徳）」ということと「政治家としての優秀さ（才）」はなんの因果関係もありません。

「徳」と「才」、両方ともあるに越したことはありませんが、どちらかひとつを選べと言われたら、政治家にとってどちらが大切でしょうか。

これをよく理解していたのが、中国は楚漢《そかん》戦争（紀元前206～紀元前202年）のころに活躍した魏無知《ぎむち》（生没年不詳）という人物でした。

彼は漢の劉邦に仕えていたころ、主君に陳平《ちんぺい》という傑物を推挙します。

陳平はきわめて優秀な政治家で、劉邦からも寵愛《ちょうあい》され、都尉（軍事長官）に任命されましたが、新参者に上に立たれた古参将軍らがこれに不満を持ち、周勃《しゅうぼつ》将軍らが劉邦に訴えてきました。

「大王！

陳平という男は若いころ、兄嫁を寝取ったようなふしだらな男ですぞ！

しかも今は、賄賂を受け取り私腹を肥やしております。

そんな者を大王のお側に置かれるのはいかがなものでしょうか！」

これを聞いた劉邦はただちに推薦者の魏無知を呼びつけ、これを問い糾します。

――魏無知！

その方、とんでもない食わせ物を余に推挙してくれたな！

陳平は自分の兄嫁を寝取ったような男だそうではないか！


しかし、魏無知は冷静に答えます。

「大王が臣下に求められておられるのは〝徳〟にござりましょうや、それとも〝才〟にござりましょうや。

大王が天下を目指すのであれば、必要なものは〝才〟にございますれば、某《それがし》が大王に薦めましたのは、陳平の〝才〟であって〝徳〟ではございませぬ。

大王が天下を求めぬということであれば、今すぐ陳平を更迭《こうてつ》してくださいませ。」

政治家に必要なものは、〝徳〟ではなく〝才〟だということを諭したのでした。

そこで劉邦は、今度は陳平を呼んで詰問します。

「陳平よ。

その方は賄賂を受け取って私腹を肥やしておると聞きおよんでおるが？」

陳平はためらわずに即答します。

「はい。賄賂を受け取っております。
しかしそれは都尉としての職務遂行上、必要であったためです。
もし、それが大王のお気に召さないということであらば、
ただちに得た金品と官位をすべて返上いたしましょう。」

彼のこの言葉をかみくだいて言えば、こういうことです。

――賄賂を受け取ることが政治運営上必要なこともある。
職務は全《まっと》うしているのだから小さなことをグダグダ言うな。
それが不服なら馘《くび》にしてもらって結構。

まず第一に必要なものは「政治の才」であって、政治を滞りなくソツなくこなしているなら、ある程度の「収賄」も大目に見るという寛容さが政治には必要だということです。

政治はきれい事では済まない

政治というものは、小学校の学級会ではありませんから、きれい事など通用しません。

ときに、国家安寧《あんねい》のために法を破らねばならないこともあります。

ときに、表に出せない「裏金」が必要になることもあります。

ときに、賄賂を受け取らねばならないこともあります。

しかし、それらが「国を思う志から発しているもの」ならば、大目に見る寛容さが政治には必要です。

なんでもかんでも杓子定規《しゃくしじょうぎ》に「違法は違法」とこれを糾弾していたのでは、結局は亡びの道に導くことになります。

ロベスピエールや任尚の頭《おつむ》では、どうしてもこの理《ことわり》が理解できずに国を混乱に導きましたが、現代日本にも、こうした〝ロベスピエール〟や〝任尚〟の多いこと。

たとえば、明治期の日本。

日々刻々と「日露戦争」の足音が近づいてきていた1898年、日本がロシアとまともに戦うために海軍の増強が求められていました。

最新鋭艦を手に入れることができるかできないかは、国家存亡に直結する最重要課題となっていきます。

そこで海軍は、イギリスに最新鋭艦「三笠《みかさ》」を発注していましたが、哀しいかな、そこは「貧乏小国」日本。

支払期限ギリギリになって、どうしても「三笠」の建造予算が捻出できないことが判明します。

――まずい！

もしこのまま「三笠」を手に入れることができないとなれば、日本はロシアによって亡ぼされることは必定《ひつじょう》。

そこで、ときの海軍大臣・山本権兵衛《ごんのひょうえ》と内務大臣・西郷従道《さいごうつぐみち》は結託し、とんでもない挙に出ます。

なんと、他の予算（償金特別会計資金）を勝手に流用したのです。

もちろんこれはれっきとした憲法違反であり、これが議会に追及されたら、ロッキード事件も吹っ飛ぶような大スキャンダルです。

しかし、山本・西郷両名は、それを覚悟の上でこれを断行します。

――もし問題になったら、おぬしとわし、

ふたりで腹を切ればよいだけのこと。

わしらの腹二つで「三笠」が手に入るなら、安いものよ。

法を守って国を亡ぼすより、法を破って国を守る方が大切に決まっています。

政治とはこうしたもので、法はあくまでも「平時における目安」であって、時と場合によっては、これを犯すことも正当化されますし、またされなければなりません。

法は絶対ではありません。

贈収賄は「必要悪」だが……

さようなわけで、歴史に鑑《かんが》みれば、贈収賄自体は「必要悪」であって「絶対悪」ではないということが見えてきます。

ただし、〝汚職〟が寛容されるのには条件があります。

それは「平時ではないこと」。

これまで挙げた例は、すべて戦時あるいは緊急事態でした。

もうひとつは「国家安寧を目的とする正しい志から発した行為であること」。

露骨なまでに「私腹を肥やすため」だとすれば、やはり徹底的に糾弾されてしかるべきです。

それでは、先の甘利氏の場合はどうでしょう？

そもそも、今の日本に「正しい志」を持った政治家はいるのでしょうか……。

CHAPTER 14

遠い根絶への道――歴史に見る「麻薬」の使い道

麻薬は、もはや〝病膏肓《やまいこうこう》に入る〟といった感があります。
では、なぜ麻薬がはびこるのか。なぜ撲滅《ぼくめつ》できないのか……。
そこで、この項では麻薬に関して、その歴史的背景を見ていくことにしましょう。

麻薬は人の気持ちを高揚させ、快感を与えますが、繰り返し使用することで中毒となり、肉体と精神を蝕《むしば》んでいくおそろしいものです。

しかし、だからこそそれに見合った〝使い道〟もあります。

たとえば11世紀末ごろから、現在の黒海南岸あたりのアラムート砦《とりで》にイスラームの少数過激派（シーア派の中の七イマーム派の分派ニザール派）勢力が立て籠《こ》もったことがありました。

彼らは、敵対する政府（セルジューク朝）要人を次々と暗殺していき、政府を震えあがらせます。

その暗殺集団こそ、あの有名な「アサッシン」ですが、彼らはなぜ最高の警備で固められた政府要人を次々と暗殺することができたのでしょうか。

それにはこんな言い伝えがあります。

麻薬の使い道【イスラームの場合】

まず彼らは『クルアーン（コーラン）』の中で説かれているのとそっくりな「楽園《ジャンナ》」を人里離れた山奥に作ります。

そこに腕の立つ若者を眠らせ、拉致《らち》してきて、美女・美酒・美食のうえ麻薬まで与えて快楽の虜《とりこ》とさせます。

若者が「ここここそ本物の楽園《ジャンナ》だ！」と信じ込んだところで、再び眠らせて俗界に戻します。

突然、俗界に戻されてうろたえる若者の前に「山の老人」が現れて告げます。

――今一度、あの楽園《ジャンナ》に戻りたいか。

ならば、何某《なにがし》を殺してこい。

さすれば、成功しても失敗しても楽園《ジャンナ》に戻してやろう。

暗殺というものは、小手先の技より退路を考えない特攻的暗殺が一番成功率が高い。

こうして、アサッシンは13世紀半ば、モンゴル軍に砦を総攻撃されて亡ぼされるまでその名を轟《とどろ》かせることになりました。

これは、「遠い昔の話」ではありません。

2001年9月11日、ニューヨークの世界貿易センタービルに突っ込んでいったムスリムたちも、「死ねば楽園《ジャンナ》」と洗脳されていたと言われています。

800年前のアサッシンから何も変わっていません。

麻薬の使い道【アメリカの場合】

しかし、だからといって「やっぱりイスラームは怖ろしい連中だ」などと思うこと勿《なか》れ。

同じようなことはどこの国でもやっていて、たとえば「正義の国」を自称するアメリカだってやっています。

1960年にベトナム戦争が起こると、アメリカは間もなくこれに直接介入を図り（1965年）、地上部隊を投入しました。

その際、米兵には麻薬《ヘロイン》が与えられました。

このため、ベトナムに駐留していたアメリカ兵のうち40％ほどがすっかり〝薬物《ジャ》中毒者《ンキー》〟となってしまい、戦後も彼らが社会復帰することを妨げる一因になります。

しかし、ホワイトハウスはそんなことはお構いなしに、「勇敢な兵」を作りあげる最も安易な方法として実施することをためらいませんでした。

麻薬の使い道［イギリスの場合］

このように、麻薬は気分を高揚させると同時に、痛みを感じなくさせる効果もあるため、主に「勇敢な人殺し」を作るための薬としてよく使われましたが、鎮痛剤として、医学の分野でも利用価値の高いものです。

イギリスは19世紀、これを「密輸品」として利用しました。

当時の中国は、清朝（1616～1912年）です。

第4代康熙帝《こうきてい》、第5代雍正帝《ようせいてい》、第6代乾隆帝の130年の黄金時代を越え、既に王朝も傾いてきたころの第8代道光帝《どうこうてい》（1820～50年）の御代。

しかし、まだ〝過去の栄光〟の時代が醒《さ》めやらず、それにどっぷりと浸かっていたので、帝国が崩壊過程に入っていることに宮廷・官僚がまったく気がついていない、という非常に殆《あや》うい時代でした。

そんなときに起きたのが、「阿片《アヘン》戦争（1840～42年）」です。

当時、イギリスは清朝から輸入したい貿易品はお茶・絹織物・陶磁器など山ほどあったのに、イギリスには綿織物以外めぼしい輸出品はなく、その綿織物もあまり売れず、対清貿易赤字が膨らんでいました。

マカートニー・アーマースト・ネイピアなど、イギリスは何度も特使を派遣して、貿易をもっと拡大してもらえるよう要求しましたが鰾膠《にべ》もなし。

――英虜女酋《えいりょにょしゅう》（イギリスとかいう野蛮人の女酋長）ごときが！

清朝は、当時の大英帝国のヴィクトリア女王を指してこう呼んでいたくらい見下していましたから、それもさもありなん。

イギリスは焦《あせ》り始めます。

――このまま貿易赤字が膨らめば、我がイギリスは破産してしまう！

そこでイギリスが考えたのが、麻薬（阿片）の輸出です。

こうして大量の阿片が中国に出回るようになると、たちまち清朝の社会・秩序・経済が悪化。

国は乱れ、国富（銀）はイギリスに垂れ流し状態（歳入の3分の1）となって、国家財政は急速に悪化していきます。

これは、麻薬の蔓延《まんえん》が国を亡ぼす元凶となり得ることの好例と言えるでしょう。

そこで道光帝は、一介の地方長官（湖広総督）にすぎなかった林則徐《りんそくじょ》を欽差大臣（幕府でいえば「大老」、朝廷でいえば「関白」のようなもの）に大抜擢し、運び込まれる阿片を片っ端から没収し廃棄するという毅然とした態度で臨みました。

すると、逆ギレのイギリスは大挙して軍を差し向けてきます。

これが「阿片《アヘン》戦争」です。

開戦するや否や、清朝はアッという間に白旗を振ってしまいました。

一方、これに勝利したイギリスは、以後、堂々と中国に阿片を売りさばき、その富を背景として、四半世紀（1850～70年代半ば）におよぶ絶頂期（パックス・ブリタニカ）の基盤を築きます。

すなわち、19世紀にイギリスが世界に栄華を誇ることができたのは、膨大な中国人を薬物中毒者《ジャンキー》に仕立てた、その犠牲の上に成り立っていたのです。

敗因は組織中枢の腐敗にあり

ところで、この阿片戦争の〝結果〟だけを見て、「イギリス軍強し！」「清朝弱し！」のイメージが定着、「清朝は敗けるべくして敗けた」ように語られることが多くありますが、事実ではありません。

いかに清朝が衰えを見せていた時期とはいえ、もしこのときの清朝が日中戦争のときのように本腰を入れて事に当たっていたならば、たかが「島国」のイギリスごときに「大陸国家」の清朝ともあろうものが敗れるはずがありません。

それができなかったのは、当時の清朝は政界が腐りきっていたためです。

つまらない官僚同士の嫉妬、足の引っ張り合いにより、「林則徐ばかりに手柄を立てさせてたまるか！」と、側近らが道光帝に降伏を詰め寄るという為体《ていたらく》だったためにすぎません。

このときの清朝に限らず、国家に限らず、会社でもその他の組織でも、ひとつの組織が衰亡していくとき、何かとその原因を「外」に求めたがるものですが、実際はほとんどの場合、「内なる腐敗」が原因です。

歴史を紐解けば、健全な国家・企業・組織が亡びることは、まずほとんどありません。

逆にいえば、亡びゆく国家・企業・組織は、それにふさわしいほど内部腐敗が進んでいるからであり、外部の要因はそのきっかけにすぎないのです。

たとえば1853年、たった4隻の黒船が現れただけで、狼狽《ろうばい》と動揺を重ねて、それからたったの15年で亡んでしまった幕府にしてもそうです。

黒船はきっかけにすぎず、幕府滅亡の真の原因は幕府の腐敗ぶりです。

またたとえば、シャープにしてもそうです。

20年ほど前、筆者は「シャープは遠からず経営破綻する！」と予言した記事を上げたことがありましたが、見事に当たりました。

当時、シャープの腐敗ぶりはひどいものだったからです。

よくシャープ衰亡の原因について、「液晶事業への行きすぎた設備投資」だの「太陽光発電への執着」だのとささやかれていますが、それらはすべて表層的なものにすぎないのであって、真の原因はそうした表層原因を生み出した中枢の腐敗です。

同じように、清朝が阿片戦争に敗れたのも、宮廷の腐敗がもっとも深い理由でした。

国家による麻薬製造および輸出

それにしても。

国家が堂々と麻薬を「輸出品」として持ち込み、それが咎《とが》められるや、たちまち逆ギレを起こして戦争を仕掛け、これを認めさせる。

自称「紳士の国」が聞いて呆《あき》れる、とんでもない蛮族ぶりです。

しかし、じつはこのときの出兵には孤軍奮闘、強硬に開戦に反対した政治家がいました。

それがあの有名なW《ウィリアム》・グラッドストンです。

——私はかくも正義に反し、かくも我が大英帝国を恒久的に不名誉たらしめる戦争を知らないし、書物で読んだこともない！


〝蛮族〟イギリスに残されたわずかな〝良心〟だったのでしょうか。

それとも、単なるパフォーマンスだったのでしょうか。

しかし、歴史的に見ればこのような「国家が麻薬を生産し輸出品とする」ことは、じつのところさして珍しくもありません。

19世紀初頭にようやく独立を達成したエジプト（アリー朝）も、国家レベルで麻薬を生産し輸出していましたし、リビアのカダフィ政権やアフガニスタンのターリバーン政権もやっていましたし、北朝鮮などは現役でやっていますし、他にも例を挙げればキリがないほどです。

それら麻薬密造国の共通点は、すべて「国家財政が破綻寸前の国」です。

メキシコやコロンビアなどでは、国家が麻薬製造しているわけではありませんが、マフィアが密造し、世界でも屈指の麻薬製造国となっています。

それもこれも国が貧しいためです。

この国に生まれた者が人間らしい生活をしようと思えば、サッカー選手になるか、麻薬の売人になるくらいしかありません。

こうして、歴史的に調べてみると、ひとつの共通点が浮かび上がってきます。

それは「麻薬を密造するのはいつも貧しい国、麻薬を消費するのはいつも豊かな国」だということ。

そこから、麻薬撲滅のヒントが見えてきそうです。

麻薬撲滅の唯一の方法

たとえば自然界においては、形あるものはかならず朽《く》ち、水は温めなければ冷え、インクを垂らせば均等に混ざっていきます。

このような動きを物理学（熱力学）の小難しい言葉を使えば「エントロピーが増

大する」と言いますが、この宇宙に存在するすべてのものは例外なく、「エントロピーが縮小すると、それを増大させる力がどこかから必ず生まれる」ようになっています。

これを「エントロピー増大則」といい、たとえば地球全体で見たとき、赤道付近に太陽熱エネルギーが蓄積されてくる（エントロピーの縮小）と、その偏った熱を北の寒い地方に運んで均質化しようとする〝力〟が生まれます。

それが所謂《いわゆる》「台風」です。

毎年その被害で日本を悩ませる「台風」ですが、一方では、地球全体で見たとき自然の調和を保つ（エントロピーの増大）ための重要な機能なのであって、被害が出るからと言って、これを人工的に無理やり封じ込めることは、たとえ技術的に可能になったとしても決してやってはいけません。

それはエントロピーをどんどん縮小させるだけで、その結果は台風など比較にならないすさまじい自然災害を招くだけです。

何人たりともこうした自然の摂理には逆らえません。

ところで、この「エントロピー理論」は、元々は熱力学の理論ですが、これは人間社会にも当てはめることができます。

「貧しい国」と「豊かな国」が生まれるのは「エントロピーの縮小」に当たります。

エントロピーが縮小すれば、どこかでかならず「エントロピーを増大させる力」が生まれてきますが、「富の偏り」というエントロピーの縮小を増大に転じさせる動きのひとつが「麻薬」といえます。

かならず「貧しい国」で麻薬が密造され（場合によっては国家ぐるみ）、そして「豊かな国」で売りさばかれることによって、「富の再分配」を起こしているわけです。

いつの時代も豊かな国で麻薬が蔓延し、どれほど政府が厳しい撲滅作戦を講じようとも、決して消えることがないのは、その根底に「貧富の差」という元凶があるためです。

臭いニオイは元から断たなきゃダメ！

「偏った富」という元凶を除かないまま、表面的にどれほど「麻薬撲滅運動」をやったところで、それは「左の手で油を注ぎながら、右の手で消火活動をしている」ようなもので、何の効果もありません。

ある麻薬マフィアのボスが逮捕されたとき、彼がポロッと吐露したそうです。

――ちゃんと普通に働いて食べて行ける社会だったら、俺もごく普通の農夫だったろう。

この言葉は、ひとつの真実を突いています。「悪党が麻薬を密造する」のではなく、「貧困が悪党を作りあげている」のです。

世界から貧困をなくしてやれば（元を断つ）、たちまち麻薬（臭いニオイ）は消えていくでしょう。それは絶望的に困難な道でもありますが、そうしない限り、「麻薬撲滅」が最終的に勝利することは永久にないでしょう。

PART 6

真の成功は試練の先に在り

人はどうしても表面的なことに一喜一憂し、惑わされがちですが、本当の成功、勝利は苦労なしに訪れることなどありません。幸運なことばかり起こる人生の人などいないのです。

CHAPTER 15

世界一の贅沢に溺れた国の結末

地下資源が豊富な国では、医療費や教育費が無料であったり、税金がなかったりして日本人の私たちからみると羨ましいと思うかもしれません。しかし、歴史という視点からみると、この環境が猛毒となり国家を滅ぼしてしまうことも多いのです。

2017年3月、はるばるサウジアラビアから約半世紀ぶりにサルマン国王が来日しました。

サウジアラビアといえば世界最大の産油国であり、日本は原油の約4割をサウジアラビアからの輸入に頼っています。

このため、日本とは切っても切り離せない深い関係にある国ですが、ほとんどの日本人は「サウジアラビア」と言われてもあまりピンと来ないかも知れません。

サウジアラビアについては、これまでは時折、テレビ番組などで「原油産出国の金満ぶり」が紹介されるくらいでしたが、その時も政治的・経済的背景よりも、サウジ側が持ち込んだ「エスカレーター式の特製タラップ」だの、「移動用のハイヤーが数百台」だの、「随行者1000人以上が都内に宿泊」だのといった、芸能週刊誌じみた下世話な話題ばかりが前面に押し出された報道がなされていたように感じます。

しかし、重要なことはそんなつまらないことではありません。なぜサウジアラビア国王が御自《おんみずか》ら極東の日本くんだりまでやってきたのか。その理由にこそ、現在サウジアラビアが置かれた切実な窮境があります。

「金満体制」の本質

ところで筆者は、マスコミで定期的に紹介される、そうした産油国の金満ぶりを見ても、彼らに対して羨望の気持ちなどまったく湧《わ》いてきません。それどころか、ああした金満ぶりをテレビカメラの前で自慢げに披露する人たちを目にするにつけ、憐憫《れんびん》の情すら湧《わ》いてくるくらいです。なぜならば、ああした金満はけっして長くつづかないどころか、ひとたび零落《おちぶ》れたが最後、その後にはその国とその民族に末代まで悲惨な運命が待っていることは、歴史が証明しているからです。

例を挙げれば枚挙に遑《いとま》がありませんが、まずは現代においてそうした問題を切実に抱える「ナウル共和国」を見てみましょう。

地上の楽園・ナウル共和国

ナウル共和国とは、日本人にはあまり馴染《なじ》みのない国かもしれませんが、かつて世界最高水準の生活を享受していたのに、一転して深刻な経済崩壊の状態に陥ったという点で、知る人ぞ知る国です。

オーストラリアとハワイの間、太平洋の南西部にある品川区ほどの面積（21平方キロメートル）しかない小島にある共和国であり、世界でも3番目に小さな国連加盟国です。そこに住む人々は古来、漁業と農業に従事して貧しくもつつましく生きる〝地上の楽園〟でした。

しかし19世紀、太平洋の島々がことごとく欧米列強の植民地にされていく中で、ナウルの〝楽園〟もまた破られることになります。そして、1888年にドイツの植民地になってまもなく、この島全体がリン鉱石でできていることが判明しました。

リン鉱石とは、数千年、数万年にわたって積もった海鳥のフンが、珊瑚《さんご》の石灰分と結びついてできたもの（グアノ）で、肥料としてたいへん貴重なものでしたから、19世紀後半から採掘が始まりました。

やがて第二次世界大戦を経て、1968年にようやく独立を達成すると、それに伴ってリン鉱石採掘による莫大《ばくだい》な収入がナウル国民に還元されるようになります。

その結果、1980年代には国民1人当たりのGNP（国民総生産）は2万ドルにものぼり、それは当時の日本（9900ドル）の約2倍、アメリカ合衆国（1万3500ドル）の約1・5倍という世界でもトップレベルの金満国家に生まれ変わりました。

――医療費もタダ、学費もタダ、

水道・光熱費はもちろん税金までタダ。

そのうえ生活費まで支給され、新婚には一軒家まで進呈され、リン鉱石採掘などの労働すらもすべて外国人労働者に任せっきりとなり、国民はまったく働かなくても生きていけるようになります。

その結果、国民はほぼ公務員（10％）と無職（90％）だけとなり、「毎日が日曜日」という〝夢のような時代〟が30年ほどつづくことになりました。

はてさて、これが羨ましいでしょうか？

古代ローマの場合

ここで多くの人が勘違いする事実があります。それは、「（地下資源など）最初からそこにあるもの」は〃ほんとうの富〃ではないということです。富でないどころか、それは手を出したが最後、亡びの道へとまっしぐらとなる〃禁断の果実〃です。

たとえば――。

古代ローマは、周辺諸民族を奴隷とし、その土地を奪い、その富を食い尽くしながら領土を広げていき、やがては空前絶後の「地中海帝国」を築きあげていきました。彼らローマ人は、そうして手に入れた属州（19世紀の植民地のようなもの）から無尽蔵に入ってくる富を湯水のように使い、贅《ぜい》の限りを尽くしていきます。

富と食糧は満ち溢《あふ》れ、すべてのローマ市民には食糧（パン）と娯楽（サーカス）が無償で与えられ、運動場・図書館・食堂まで併設された豪華な浴場施設（今でいえば一大レジャーランド）が各地で無料開放され、下々の者に至るまで働かずとも飢えることはなくなり、貴族などは食べきれない豪華な食事を、喉《のど》に指をツッコんで吐いては食らい、食らっては吐くを繰り返す有様。

しかし、こうした自堕落な生活は、その民族の精神を骨の髄まで腐らせていきます。そもそもローマが強大になることができたのは、外に対しては命を惜しまず勇敵に戦い、内にあっては勤勉に働いたからです。

しかし、人間というものは、ひとたび不労所得や贅沢を覚えたが最後、「額に汗して働く、貧しくともつつましやかな生活」に二度と戻ることができなくなります。つねに「怠けること」「遊ぶこと」「他者の富をかすめ取ること」しか頭にない人間に成り下がってしまうのです。

あれほど勤勉で勇敢だったローマ人たちは、たちまち怠惰で軟弱な民族と化し、やがてローマそのものを滅ぼすことになりますが、そうした民族性は改まることなく、西ローマ帝国滅亡後も１４００年にわたって異民族統治・分裂割拠の時代がつづく一因となりました。

20世紀に入っても、イタリア軍のヘタレっぷりは世界に勇名を馳《は》せた（?）ほど。そして現在、一説にイタリアはデフォルト（債務不履行）寸前とも言われます。

つねに怠けること、遊ぶことを考え、額に汗して働くことを避け、さりとて分不相応な贅沢はやめず、国の生活保障に頼りきりとなれば、それも当然と言えます。古代ローマの時代、不労所得を得た〝報い〟が21世紀になった今も彼らを苦しめているのです。

近世スペインの場合

さて、近世に入ると、スペインが他国に先駆けて絶対主義を確立するや、アメリカ大陸を〝発見〟、そこにあった〝富〟を略奪し尽くしていきました。これによりスペインは「スペイン動けば世界が震える」「スペインの領海に日没なし」と謳《うた》われ、その時代の覇権国家として君臨したものでした。

しかし、その富は、スペイン人が額に汗して生んだものではありません。インディアンの富を略奪したものです。ローマについて覧《み》てきたとおり、このような〝繁栄〟は長つづきしないどころか、民の心を腐敗させます。

100年と保《も》たずに新大陸の富を食い尽くすや、スペインはたちまち没落、二度と歴史の表舞台に出てくることはなくなり、現在、スペインもまたイタリア同様、やはりデフォルト寸前です。

――〝楽園〟は地獄への入口

〝ほんとうの富〟とは「額に汗して自ら生み出した富」だけであって、「最初からある富」から不労所得を得るだけの繁栄は、一見〝楽園〟に見えて、そのじつ〝地獄の一丁目〟にすぎません。

それで得た繁栄などほんの一時のことにすぎないばかりか、それが過ぎ去ったが最後、まるで不労所得を得たことへの〝神罰〟が下ったかのように、その国その民族を子々孫々にわたって苦しめることになるからです。

ナウル共和国では、働かなくても食べていけるようになったことで、働きもせず毎日「食っちゃ寝」の生活が当たり前となり、食事はほぼ100％外食に頼るような生活になりました。

そうした生活が30年にもおよんだため、肉体が蝕《むしば》まれて、全国民の90％が肥満、30％が糖尿病という「世界一の肥満＆糖尿病大国」になりました。それればかりか、精神まで蝕まれて、勤労意欲が消え失《う》せ、そもそも「食べるためには働くのが当たり前」という認識すらなくなっていきます。

すでに20年も前からグアノ（リン鉱石）が枯渇するだろうと予測されていながら、ナウルの人々は何ひとつ対策も立てず、努力もせず、ただ日々を自堕落に生きていくことしかできない民族となっていったのでした。

ナウルの〝ほんとうの悲劇〟

しかし、ナウルの〝ほんとうの悲劇〟は、肥満でもなければ糖尿病でもなく、ましてや勤労意欲が失われたことでもありません。

さきほど〝地獄の一丁目〟という表現を使いましたが、文字通り、彼らのほんとうの悲劇はここから。一番の問題は、もはや二度と「〝古き佳きナウル〟に戻ることができなくなった」という事実です。

いざグアノが枯渇したとき、彼らが考えたことは「嗚呼《ああ》、夢は終わった。我々はふたたび額に汗して働こう」ではありませんでした。すでに精神が蝕まれ切っていた彼らが考えたことは、「どうやったらこれからも働かずに食っていけるだろうか？」でした。すでに〝末期症状〟といってよいでしょう。

そこで彼らがまず取った行動は、国ごとマネーロンダリングの魔窟《まくつ》となり、世界中の汚れたカネで荒稼ぎすること。それがアメリカの怒りを買って継続不可能となると、今度はパスポートを濫発《らんぱつ》してテロリストの片棒を担いで裏金を稼ぐ。それもアメリカから圧力がかかると、今度は舌先三寸でオーストラリアから、中国から、台湾から、日本から資金援助を引き出す。

テロリストへのパスポート濫発などといったことに手を染め、ほとんど〝ならず者国家〟と成り下がった惨状ですが、それでも彼らはけっして働こうとはしません。

——病膏肓《やまいこうこう》に入る。

ナウル人が額に汗して働くことはこれからもないのだろうと、筆者は思います。ナウルが亡びる日まで。

資源のない日本の幸運

このように、「不労所得」という禁断の果実にひとたび手を出したが最後、あとはけっして後戻りできない〝亡びの道〟を一直線に歩むことになります。泥棒がなかなか足を洗えないのも、博打打《ばくち》ちがなかなかギャンブルをやめられないのも、宝くじ高額当選者に身を持ち崩す人が多いのも、すべてはこの〝禁断の果実〟を味わってしまったからです。

よく「日本には地下資源がない」と嘆く表現を見かけますが、筆者は「日本に地下資源がなくて本当によかった」と心から思います。地下資源がないからこそ、それを補うために頭を悩ませて創意工夫し、額に汗して勤勉に働いて富を生み出していかなければ国を維持できません。

そうした厳しい歴史を歩んできたからこそ、日本人は洗練され、世界に冠たる国のひとつとして繁栄することができたのです。なまじ豊富な地下資源などがあったら、それに頼って怠けることを覚え、列強諸国からその富を虎視眈々《こしたんたん》と狙われ、他のアジア諸国同様、日本も19世紀に植民地とされ、亡びていたことでしょう。

ナウルを反面教師にして

今回、サウジアラビアの国王が御自らわざわざ出向いてまで日本にやってきたのは、こうしたことへの危機感からです。21世紀に入って以降、急速に石油に頼らない新エネルギーの開発が進んでいます。遠からず石油に頼らなくてもエネルギーがまかなえる時代が到来するでしょう。

そうなってしまう前に対策を立てておかなければ、サウジもナウルの二の舞となることは火を見るより明らか。そこで今回、石油だけに頼る経済体制から脱却するべく、日本に経済協力を要請するためにやってきたのです。

じつはこれ、地下資源の乏しい日本も他人事《ひとごと》ではありません。今の日本が豊かなのは、先人たちの血の滲《にじ》むような努力の賜《たまもの》です。

現状の豊かさを維持するだけでも、若者には一層の智恵と努力が必要になってくるのに、今の若者を見ていると、先人たちが築きあげたこの〝過去の遺産〟にどっぷり浸《つ》かり、これを食いつぶしながらラクをすることばかり考えているように見えます。もしそうであるならば、日本の未来は殆《あや》うい。短期的視点でグアノ（リン鉱石）に依存したナウルと同様に、日本人が「先人の築きあげた富」に依存してしまえば、我が国もナウルのあとを追うことになるでしょう。

CHAPTER 16

「小池都知事vs自民党都議会」の歴史的理由

自民党都連が過半数を占める都議会との確執が取り沙汰《ざた》されており、小池《こいけ》都知事による都政は前途多難です（2016年時点）。このように首長（行政長官）と議会が対立する構図は、世の東西を問わず何度も見られてきました。歴史を紐解《ひもと》いて考察してみましょう。

まずは、17世紀のイギリス。

16世紀をかけて「絶対主義王政」をひた走ってきたイギリスは、17世紀に入って王権の絶頂期に入ります。

ジェームズ1世、チャールズ1世父子とつづくその王権の横暴に対して悲鳴を上げた議会が、1628年に「権利請願」を出しました。

「エドワード1世の御代《みよ》に制定された課税法によって〝議会の承認なき課税は無効〟とされ、またジョン王の御代に制定された大憲章によって〝国法および裁判に基づかない逮捕・監禁をしてはならない〟とされました。

陛下にあらせられましては、これら過去に定められた議会の権利を遵守《じゅんしゅ》なさいますよう請い願い奉ります。」

しかし、チャールズ1世は聞く耳を持たず、やりたい放題。

そこで怒り心頭の議会は、今度は「大諫奏《だいかんそう》」を提出し、それまでの国王の失政をあげつらったばかりか、「かくのごとき暴政がまかり通るようになったのは、国王側近が陛下をそそのかしたためである。よって国王側近を処刑せよ！」とまで主張し、王権と議会の対立は決定的となりました。

結局、話し合いではどうにもならず、ついに議会は武力をもって立ち上がり、国王チャールズ1世は処刑（斬首刑）される事態にまで陥ります。

これがいわゆる「ピューリタン革命」です。

名誉革命後、「国王は君臨すれども統治せず」

こうして国王が処刑されたあと、イギリスは「共和国」となって王朝（ステュワート朝）は「いったん滅亡」という憂き目を見ました。

にもかかわらず、まもなく王政復古するや、性懲《しょうこ》りもなく子のチャールズ2世は再び議会に挑戦します。

当時、議会は国教徒、国王の側近はカトリック教徒で占められていたため、議会は「公職に就く者は、国教会の聖餐《せいさん》式への出席・化体説否認の宣誓を義務化させる」という審査法（1673年）を制定して、カトリック教徒を国王の側近から排除し、さらに「逮捕状のない逮捕、裁判のない投獄を禁止する」という人身保護法（1679年）を出すことによって、法で自らの身を守って対抗しました。

しかし、今回もまた平和的解決とはならず、「名誉革命」を招いて、国王ジェームズ2世はフランスへの亡命を余儀なくされます。

その後まもなくステュワート朝が断絶したため、新たにハノーヴァー朝に代わりましたが、この新王ジョージ1世はドイツ生まれのドイツ育ちで、まったく英語が話せません。

従来、議会の裁決は国王が行うものでしたが、英語が理解できないジョージ1世にそれをさせるのには無理があったばかりか、即位後まもなく望郷の念に駆られたジョージ1世は何やかや理由を設けてドイツに帰ってしまい、なかなか戻ってこないという有様。

国王不在では議会運営も成り立たないため、国王に代わって議会を統括する「代理人」の必要性が生まれ、それが議員の中から選ばれることになりました。

これが「首相」です。

その初代首相となったのがR《ロバート》・ウォルポールで、彼の時代に「国王は君臨すれども統治せず」の原則が生まれ、「議院内閣制」が定着することになりました。

こうして、イギリスにおける王権（行政府）と議会（立法府）との戦いは議会の勝利に終わり、以後イギリスは、議会が優越した時代を迎えます。

なぜ地方自治体では知事と議会が対立するのか

このようなイギリスの歴史の中から生まれた「議院内閣制」が、我が国日本で採用されています。

したがって、国民は選挙によって国会議員を選ぶことができますが、首相を選ぶことはできません。

議院内閣制では、首相はあくまで国会議員によって選出されるからで、これは立法府と行政府の意思は一致しやすいという利点があります。

これに対して地方自治体では「二元代表制」が採られています。

二元代表制の場合、たとえば東京なら、都議も都知事も別々に都民が直接選挙で選出しますから、立法府にも行政府にも直接住民の意思が反映されやすく、より民主的であるという利点があります。

その半面、議会と首長の意見が真っ二つに割れて敵対し、政治が停頓《ていとん》、麻痺《まひ》してしまいやすいというデメリットもあります。

小池都知事と都議会のねじればかりでなく、名古屋市の河村《かわむら》たかし市長や、大阪市の橋下徹《はしもととおる》元市長、そして鹿児島（阿久根市）の竹原信一《たけはらしんいち》前市長のように、日本の地方自治体でよく知事と地方議会が対立するのはそのシステム故です。

"米国の覇権"を目論んだウィルソン大統領の場合

アメリカ合衆国の「大統領制」が、まさにこの二元代表制ですから、アメリカでは大統領と議会の対立構図はよく起こります。

たとえば、第一次世界大戦が終わったとき、「十四カ条の平和原則」を掲げてヨーロッパに乗り込んだＷ《ウッドロウ》・ウィルソン大統領は、パリ講和会議において「国際連盟」なる国際組織を創り、これを操ることで戦後世界に「パックス・アメリカーナ（アメリカを中心とした世界支配）」を実現しようと目論《もくろ》んでいました。

もちろん英仏の利害も絡みますから、100％アメリカの思惑通りというわけにはいかず、侃々諤々《かんかんがくがく》の協議を経て、多少の妥協を孕《はら》みながらも、ウィルソン大統領はなんとか「国際連盟」の創設に成功しました。

しかし彼は帰国後、大きな挫折にぶつかることになります。

本国の議会（上院）が、国際連盟への加盟を批准《ひじゅん》して（認めて）くれなかったのです。

言い出しっぺのアメリカが加盟しないでは、ウィルソンはメンツ丸つぶれですし、これを道具として「パックス・アメリカーナ」を実現しようとした彼の政治構想は根底から崩れてしまいます。

――なぜこんなことになってしまったのか！

アメリカが二元代表制であることは先にも触れましたが、アメリカでは大統領と議員を選ぶ選挙間隔が違う（大統領選挙が4年に一度、議会選挙が2年に一度）ため、その差が「ねじれ」を生じさせることが多いのです。

まだアメリカが第一次世界大戦に参戦していなかった1916年の大統領選挙で、2期目に臨むウィルソンは「私は（1期目の4年間で）あなたがたを戦争に巻き込まなかった！」をスローガンとして再選を果たしましたが、その舌の根も乾かぬ翌1917年には第一次世界大戦に参戦したこともあって、さらにその翌年の18年の中間選挙では、上下院ともに共和党に過半数を取られてしまっていたのです。

——このままでは苦労して成立させた国際連盟に参加できなくなってしまう！

こうなると、党員議席数に劣るウィルソンが議会を黙らせるためには、世論を味方につけるしかありません。

そこでウィルソンは帰国早々、全国遊説に奔走しましたが、その重圧によるストレスからか、遊説先で病に倒れてしまいます。

結局、下院は何とか通したものの、上院で否決され、「アメリカが提唱した国際連盟にアメリカが参加しない」という異常事態に陥ってしまったのでした。

無為無策で経済を悪化させたフーヴァー大統領

とはいえ、その後のアメリカ合衆国は「狂騒《ローリング》の20年代《トゥエンティ》」と呼ばれる繁栄期に入り、その絶頂の1929年3月には、新しく大統領となったH《ハーバート》・フーヴァーが、大統領就任演説で「永遠なる繁栄」を高らかに謳いあげるほどの繁栄を誇るようになっていました。

しかし、わずかその半年後、世界大恐慌が勃発《ぼっぱつ》。

株価の暴落、デフレスパイラル、企業倒産などの不況が猛威を振るい、「狂騒《ローリング》の20年代《トゥエンティ》」は〃遠い過去の出来事〃のように一瞬で雲散霧消、アメリカ経済は急速に冷え込んで、街は破産者・失業者・浮浪者、はては餓死者があふれ返るようになります。

にもかかわらず、繁栄の絶頂の中に生きたフーヴァー大統領には、どうしても目の前で起きている事態が理解できない。

彼は「ただ風邪を引いただけだ」「ほっとけばすぐに治る」として何ひとつ経済振興策を取らず、泰然として構えてこれを放置したため、恐慌は悪化の一途を辿《たど》ることになりました。

そのため、1930年の中間選挙で共和党は大きく議席を減らし、こうした超然とした態度を取りつづけることも不可能となったフーヴァーは、翌31年、ようやく重い腰を上げ、いわゆる「フーヴァー・モラトリアム」を発表しますが、もはや遅きに失し、これもただ混乱に拍車をかけただけでした。

こうしてフーヴァーはその4年間におよぶ任期中、なにひとつ有効な経済対策を立てることもなく、無為無策のまま経済は悪化の一途を辿ることになります。

〝老害〟を排除したルーズヴェルト大統領の場合

そんな中で行われた翌1932年の大統領選挙では、なんと全50州のうち共和党が取ったのがわずかに5州、残りの45州がすべて民主党が取るという、圧倒的民主党の勝利のうちにF《フランクリン》・D《デラノ》・ルーズヴェルトが新大統領に選ばれます。

国民がいかにフーヴァーに失望し、ルーズヴェルトに期待していたかが窺《うかが》われます。

ルーズヴェルト大統領はただちに「ニューディール政策」を掲げ、農業調整法（AAA）で農産物の生産量を統制することで物価を調整し、全国産業復興法（NIRA）で労働者の最低賃金、労働時間、その他の諸権利を守らせることで購買力の創出を図り、同時に生産の統制を行い、物価の調整を図ります。

さらに、テネシー河域開発公社（ＴＶＡ）など、公共事業を推進することで雇用を創出しようとしました。

こうした一連の改革政策によって恐慌は徐々に鎮静化に向かいましたが、ルーズヴェルトの行った政策は「政府が経済に介入する」という点において社会主義的だったため、古典派経済学に凝り固まった者たちは、これに嫌悪感を起こす者も少なくありませんでした。

――ニューディール政策は「自由」を阻害している！

アメリカ人はその歴史的経緯から、良きにつけ悪しきにつけ「徹底的に自由を重んずる」価値観が強く、彼らにとって「自由こそが絶対正義」であり、「自由を阻害する行為は如何なる理由があろうとも悪なる行為」と考え、ルーズヴェルト大統領の政策意図をまったく理解できません。

コロナ禍にあって、政府がマスク着用を義務づけると、あちこちで「マスク着用拒否」を叫ぶ抗議運動が起こるのも、彼らに「命よりも自由を重んずる」という価値観があるためです。

とはいえ、連邦議会は上院も下院も民主党が過半数を占めており、共和党は次々と提出されるニューディール法案を廃案に追い込みたくとも、議会においてはそれがかないません。

そこで彼らは戦いの場を「議場」から「司法」に移し、「ニューディール政策は違憲である！」と訴えて、最高裁において違憲判決を次々と出させることに成功しました。

ニューディール政策の有効性を理解できない、古い価値観に捉われた、頭の固い者たちのこうした妨害工作により、ニューディール政策はその効果を十分に発揮できず、アメリカの景気は行きつ戻りつ。

ルーズヴェルトはこうした「新しい時代の動きを理解できない〝老害〟ども」を排除するべく、「定年制の導入」を口実として最高裁の判事を大量に退職に追い込み、代わりに親ルーズヴェルト派の判事に〝首のすげ替え〟をすることでニューディールの推進を図ります。

しかしこれは、行政が司法に圧力をかけたことを意味し、それこそ「三権分立」を掲げる合衆国憲法に違反しているため、彼が「独裁的」と批判される要因ともなったのですが。

ブレなかった独裁者、ヒトラーの場合

しかしながら、それも〝非常事態〟においては、致し方ない側面があります。
たとえば、同じころ、ドイツではA《アドルフ》・ヒトラーも不況対策を講じていました。

――不況の根本原因は〝有効需要の不足〟のためであり、
有効需要を確保するためには公共事業を拡大するしかない！

ヒトラーもまた、ルーズヴェルトと同じ結論に達し、公共事業の拡大に力を注ぎます。

ただし、ヒトラーがルーズヴェルトと違ったところは、彼は一切ブレることなく、H《ヒャルマル》・シャハト経済大臣に全権を与え、軍備、アウトバーン、オリンピック施設など、巨大な公共事業を断行して誰にも文句を言わせなかった点です。

このおかげで、ドイツの失業問題はアッという間に解決しました。

ブレることなく政策を推進し、短期間で成果を上げたヒトラーと、同じ政策を掲げながら、ブレにブレてなかなか成果を上げられなかったルーズヴェルト。

しかし、ヒトラーにそれができたのは、彼が「独裁者」だったからであり、「民主国家」の枠組の中で政策を推進せざるを得なかったルーズヴェルトがブレてしまったのも、反対者の反抗を抑えきれないという不可抗力な側面がありました。

歴史的に見れば、平時と違って国家存亡の機にあっては、違憲であろうが独裁とそしられようが、民主性を犯してでも反対者を封じ込めるしかないのです。

「首長vs議会」は立法府が有利

このように歴史を紐解いてみますと、行政府（首長）と立法府（議会）が対立したとき、たいていは議会に軍配が上がることがわかります。

首長（王・大統領・首相など）が勝つのは、「国民の圧倒的支持」を得たときだけです。

ここまで見てきた事例をもう一度簡単に振り返ってみますと――。

・17世紀のイギリスでは王に国民の支持がなかったため、議会の勝利に終わりました。

・20世紀初頭のアメリカでは、ウィルソン大統領は世論を味方につけるべく全国遊説に走りましたが、その志半ばで倒れてしまったため、やはり議会の勝利に終わりました。

・20世紀半ばのアメリカとドイツでは、首長が勝利しましたが、それは「国民の圧倒的支持」を背景とした〝独裁〟に走ったからです。

つまり。

行政府の首長と議会が対立したとき、民主的に戦う分には首長に分《ぶ》が悪く、首長が議会を抑え込むためには、民衆の圧倒的支持を背景にして〝独裁〟に走るしかない、ということです。

先に挙げた河村市長や橋下元市長、竹原前市長も、ともすれば〝独裁〟の誹《そし》りを免《まぬか》れない強引な政治手法がやり玉に挙げられましたが、首長が議会と対決していく以上、そうならざるを得ないのです。

逆に言えば、その覚悟がない首長は、最初から議会に戦いを挑む資格がないとすら言えます。

そして、その覚悟があったとしても、その戦いはたいへん多難で、困難な道です。この章の冒頭に「小池都知事の前途は多難」と申し上げましたのも、こうした理由からです。

確かに、都知事選が終わった直後においては、小池都知事は都民から圧倒的支持を得ていました。

今回の「小池都知事vs都議会（都連）」の対立構造では、

・石原慎太郎氏の「大年増の厚化粧」発言
・都連の「小池を支持する者はすべて自民党を除名する」という通達
・初登庁の小池都知事に対して、都議が挨拶をボイコット

……などなど、次から次へと出てくる都議・都連のあまりにも幼稚な言動ぶりに、都民も呆《あき》れ果て、小池都知事の支持は高まる一方でした。

そうしてみると、「小池都知事が有利か⁉」と見えるかもしれません。

しかしそれでもなお、筆者は「小池都知事の前途は多難」と考えます。

マスコミを使う？　都議・都連の逆襲

逆に、都民の支持を失い、追い詰められた都議・都連は、何を考えているでしょうか。彼らがこのまま黙っているとは到底思えません。

一発逆転のための〝次の一手〟を考えているはずです。

そこで、ルーズヴェルト大統領の例を思い出してください。

あのときの共和党（野党）は、大統領の政策に反駁《はんばく》したくても、上下院とも民主党（与党）の議席が過半数を占めており、世論も圧倒的に大統領を支持していたため、議会が不利な立場にありました。

小池都知事誕生時の都議の置かれた状況に似ています。

正々堂々、議会の場で戦ったのでは勝ち目はないと考えた共和党は、司法に訴えて大統領を追い詰めたものでした。

都議・都連もおそらくこの手を使うでしょう。

ただし、利用するのは「司法」ではなく「マスコミ」です。

小池都知事も政界入りしてからすでに四半世紀になります。「腐敗の巣窟〝伏魔殿《ふくまでん》〟たる都議会の刷新！」を掲げて都知事になった小池氏ですが、四半世紀もの長きにわたって自分自身も〝伏魔殿（政界）〟に棲《す》みつづけてきたのですから、たたけばホコリが出る身の上でしょう。

であるならば、都連は必ずや彼女の〝弱み〟をつかんでこれをマスコミにリークするに違いありません。

そうなれば、都民は「小池都知事、お前もか！」と彼女に失望し、彼女は世論の支持を失ってついえていくことになるでしょう。

彼女が現在の優位を守る有効な手段は、彼女の〝唯一の武器〟である「世論の圧倒的支持」を守りきること。

そのためには、彼女が「清廉潔白であること」、あるいは「〝ホコリ〟を隠しとおせるか否か」がポイントとなります。

これからも都知事と都議・都連の動きから目が離せません。

CHAPTER 17

〝劇薬〟に手を出した小池都知事はフリードリヒ2世!?

どうして小池都知事は「築地《つきじ》市場移転」という〝劇薬〟に手を出してしまったのでしょうか。

このことについて考察するために、中世ドイツに現れた神聖ローマ帝国皇帝フリードリヒ2世を紹介しましょう。


神聖ローマ帝国皇帝フリードリヒ2世は、子供のころから「天才中の天才」「世界の驚異」と絶賛されながら育った人物でした。

なにせ彼は、すでに4歳のときにはラテン語の読み書きを修得し、歴史や哲学の本を読みあさり、長じてはイタリア語、ドイツ語、ラテン語はもちろん、フランス語、ギリシア語、ヘブライ語、アラビア語など9ヶ国語がペラペラ。学問では歴史学、哲学、神学、天文学、科学、数学、植物学などを修得し、そのひとつひとつが学者レベルときています。

スーパー天才フリードリヒ2世、現る

そのうえ〝頭でっかち〟でもなく、詩作、音楽、楽器演奏など芸術にも秀《ひい》で、武術・乗馬・槍術《そうじゅつ》などの腕前も騎士レベルという、文武両道の万能的天才ぶり。

さらには、彼の父は神聖ローマ帝国皇帝、母方は両シチリア王国国王という血筋で、まさに〝サラブレッド中のサラブレッド〟、血統的にも文句なし。

その彼が「神聖ローマ帝国皇帝」に即位したのです。

当時、西欧はすでに中世から近世へと歩みを進めつつあり、「主権国家」「絶対主義体制」の萌芽が始まっていたというのに、神聖ローマ帝国は依然として中世さながらに諸侯の割拠が著《いちじる》しく、近世の萌芽の片鱗《へんりん》も見えない立ち遅れた状態でしたから、彼の即位は、周りから期待を一身に集めたものでした。

彼自身もやる気満々、高らかに叫びます。

――歴代皇帝が夢にまで見て成し得なかった天下統一、絶対主義確立！　余が見事成し遂げて見せよう！

しかし、ここから彼の転落人生がはじまります。

彼は周りの期待に応えようと、次々と「旧制」を廃して「新制」を推し進めようとしますが、「現状」を無視した強引な改革はすべてが空回り。

――十で神童、十五で才子。

二十歳過ぎればただの人。

フリードリヒ2世には、まさにこの言葉が当てはまります。

彼の敗因の根本は「所詮《しょせん》〝学生時代の紙上で得た知識〟と〝社会に出てからの実践能力〟はまったく別物」ということに気づくことができず、子供のころの才が大人になってからも通用すると勘違いしたことです。

現代でも、一流大学を出た者が必ずしも社会で通用する人間にならないのと同じで、子供のころの成績が良かったことで周りからの期待を担った者は、これに応えようと暴走しがちなのは、いつの世も変わりません。

振り返って……小池都知事

しかし、その人物の能力を超えた期待をかけることは、その人を不幸にするものです。

親が子に期待をかけすぎて、子がつぶれるというのも、古今東西よく聞く話です。

ところで小池都知事は、一期目の都知事選において2位の増田寛也《ますだひろや》氏をダブルスコア上回る300万票を獲得し、圧倒的な支持を得て当選を果たしました。

この結果に、小池氏も当選当初は素直に喜んだでしょうが、時が経《た》つにつれ、じわじわとその重圧に押し潰《つぶ》されそうになってきたかもしれません。

まさに、親（都民）から過大なる期待をかけられて押し潰されそうになっている子（小池都知事）の状態です。

期待が大きければ大きいほど、それが裏切られたときの反動もまた大きいものです。

──都民の期待に応えねば！
私の存在感を示さねば！

小池氏にはフリードリヒ2世同様、そうした焦燥感が日に日に強まっていたのではないでしょうか。

そこに「築地市場移転問題」が彼女の目の前に現れたのです。

彼女がこの〝劇薬〟に手を出してしまった背景には、こうした焦燥感があったのかもしれません。

しかし、「現状を廃する」という行為には必ず〝抵抗勢力〟との戦いが待っており、これを達成することは至難の業《わざ》です。

だからこそこれを達成したとき、存在感を示すことはできますが、それにはそれ相応の「政才」が必要になります。

彼女に〝それ〟があるのかどうかが試金石となります。

それにしても、先にも触れましたように豊洲《とよす》新市場をつくるのにかかった費用が6000億円。

あまりにも額が大きすぎて、我々庶民にはピンとこないほどですが、たとえば、スカイツリーなら10本ほど建てられますし、「あまりにも高すぎる」と話題になった新国立競技場が2つも建てられるという途方もない額です。

建設当初は「4300億円」という試算で、それでもすごい額なのに、さらにそこから約1・5倍も膨れあがったことになります。

そういえば、新国立競技場も当初「1300億円」という試算だったのに、あれよあれよと「3000億円」にまで膨れあがりました。

「試算」を少しオーバーするくらいなら可愛いげがありますが、このように、いつも「2倍」「3倍」というレベルで膨れあがっていくのはなぜでしょうか。

後漢末期の売官法

そのことを理解するために、今から2000年ほど前の中国を見てみましょう。紀元前202年、劉邦《りゅうほう》が垓下《がいか》で項羽《こうう》を破って漢を開きましたが、それから300年も経つと、漢王朝の政治は隅々まで腐敗し、国庫は破綻《はたん》し、国民は怨嗟《えんさ》の声を上げるようになっていました。

そこで時の皇帝、後漢王朝12代霊帝《れいてい》は新しい財源の確保のため、「売官法」を施行します。

これは、下々の官職はもちろん、最高官職の三公（司徒《しと》・司空《しくう》・太尉《たいい》。現代の日本でいえば、首相・国土交通大臣・防衛大臣に相当）ですらお金で買えるようにしたもの。

余談ですが、『三國志』の中心人物のひとりに曹操《そうそう》がいますが、彼の父もこのときに売官法で太尉（防衛大臣）の地位を購入しています。

これを実行すると、一時的には国庫は潤うのですが、そのカウンターパンチはすさまじく、王朝は一気に傾いていくことになります。

なんとなれば。

たとえば、崔烈《さいれつ》という人物は「500万銭」という莫大な金を払って司徒（首相）の地位を手に入れ、当時から「銅臭（ゼニ臭い）」とさげすまれたものでしたが、そうして大枚はたいてまで官職を手に入れた人物が「善政」など布《し》くはずもなく、任期が満了するまでに、何がなんでも払ったゼニの何倍もの額を回収しようと必死になったのは当然の帰結といえましょう。

漢帝国の各地で売官によって官職を手に入れた者は、農民たちにあらんかぎりの苛斂誅求《かれんちゅうきゅう》を行い、初期投資を搾《しぼ》り取ろうとします。

たとえば、ある地方長官が中央から「1000万銭の納税義務」を課されていたとします。

すると彼は、汚職の限りを行い、自分の持てる権限を最大限利用して2000万、3000万銭の税収を農民からむしり取ります。

そしてそのうち1000万銭のみを中央に送れば、残りはすべて自分のポケットマネーとなり、売官で払った銭などアッという間に回収できる——というわけです。

つまり、国家予算レベルの汚職が横行するようになり、搾取《さくしゅ》された農民は餓死するか、逃散するか、一揆を起こすか、いずれにせよ土地が荒廃して、その先、安定的な税収は得られなくなりますが、売官官僚たちは、自分の任期が終わったあとの農地が荒野となろうが、死体の山が築かれようが知ったことではありません。

こうして、漢王朝はアッという間に衰亡していき、まもなく『三國志』の時代を迎えることになるのです。

振り返って日本、「票はゼニで買う」？

ところで、現代日本はこれを〝対岸の火事〟と笑っていられるでしょうか。

現代、日本において政治家になろうと思えば、どうしても莫大な選挙費用が必要となります。ただ立候補するだけで、とりあえず300万円（衆参選挙の場合の供託金）を一括で前納しなければなりません。これだけでも一般の人にはおいそれと払える額ではありませんが、それだけではポスター1枚作れませんので、それプラス、莫大な選挙活動資金が必要になります。その額たるや、普通のサラリーマンが一生働いても貯めることのできる額ではありません。

お金のない人は、どれほど優れた政才の持ち主であろうが関係なく、政治家になることのかなわない選挙システムとなっているのです。逆に、莫大な選挙費用さえあるなら、高給で優れた選挙参謀を雇い入れ、多くの人を雇って組織的に動き、湯水のようにお金を使えば、どんなバカでも当選は容易です。

我々は、小・中・高と学校教育で以下のように習ってきました。

――日本は誰でも平等に選挙権と被選挙権が与えられた民主主義国家です。

まるっきり「ウソ」ではないかもしれません。

確かに〝表面的〟にはそうした体裁が整えられています。

そして国民は、それを言葉通り真に受けていますが、何のことはない、実質的には〝清き1票〟は「ゼニで買う」システムです。

それは、漢の時代の「売官法」と本質的に変わりません。

では、漢の時代、「ゼニで地位を買った」者たちが、その任期中に何をしていたかを思い起こせば、現代日本において、莫大なお金を使って選挙を勝ち抜いた政治家が、そのあと何を考えるのかは容易に想像がつこうというものです。

たとえば建設事業というものには、大きな資本が動きます。

資本が動けば、そこに議員たちがわらわらと簇《むら》がります。

それは、砂糖があれば、そこにアリがわらわらと集まってくるのにも似ていますが、アリが簇がればみるみる砂糖が小さくなっていくのに、資本に議員が簇がると、あれよあれよと建設費用が当初の試算の2倍、3倍に膨れ上がっていくのとは対照的です。

そして、その余分に膨れあがった経費は「税金」から賄《まかな》われますから、国民生活は真綿で首を絞められるようにじわじわと逼迫《ひっぱく》していくことになるのです。

こうして歴史に鑑《かんが》みると、日本の現状は後漢王朝末期とそっくりです。これから日本は『三國志』のような動乱の世を迎えようとしているのかもしれません。

小池都知事の起死回生

そうしてみると、先ほど小池都知事が「移転延期」を決定したことで、「進むも地獄、退くも地獄」となり、彼女によほどの「策」と「才」がないかぎり、厳しい立場に追い込まれるだろうと申しました。

しかし、もし彼女に一発逆転があるとしたら、それは「延期」している間に、この「豊洲新市場」の〝闇〟を暴くことができるかどうかにかかっている、と言えましょう。

すなわち、なぜ建設費用が当初の試算より1700億円も膨れあがったのか。そしてその「1700億円」は誰のポケットに入ったのかを、白日の下にさらけ出すのです。

もしそれが実現できたならば、都民の怒りは一気にそちらに向かい、小池都知事の支持は、もはや老害議員たちが手がつけられないほど絶大なものとなるでしょう。

これで小池都知事は現状の窮地から一気に一発逆転、起死回生、捲土重来《けんどちょうらい》、名誉恢復《かいふく》。

これにより都議会もひれ伏すでしょう。

しかし、それができるか否や。

今後の小池都知事の是非はそこにかかっていると見ています。

※註

この原稿を上梓《じょうし》した直後、筆者の予想通り豊洲新市場の「闇」が暴露されました。汚染土壌を封じ込めるための対策として講じられているはずの「盛り土」がされていない「地下空洞」が発見されたのです。これにより小池都知事は俄然《がぜん》優位な立場となりました。

CHAPTER 18

障害者迫害の歴史とその反動としての〃甘え〃

障害者問題について、歴史的背景に加え〃自らの体験〃も踏まえて考察していきます。筆者もまた生まれつき右腕が動かない、いわゆる身体障害者の1人ですので、健常者の眼では気がつきにくい側面から障害者問題を論じることができると思うからです。

まず最初に、歴史的に見ていくと、障害者は差別的な扱いが多かったことは否めません。

たとえば、古代ギリシアのスパルタの場合。

ここは何と言っても「スパルタ教育」で有名ですが、実際その名にふさわしく、すさまじい教育が行われていました。

生まれた子は「国の宝」として、親に育てる権利は与えられません。まだ一番あまえたい盛りの7歳になると親元から離され、共同生活に入って厳しい軍事訓練が施されました。

〝劣生遺伝子〟の排除を徹底したスパルタ

食事はあえて十分な量を与えないようにし、足りない分は町に出て窃盗するように仕向けておきながら、もし窃盗が見つかり捕らえられれば、ムチ打ちの刑に処されました。

これは「盗みを働いた罪ゆえの罰」ではなく「盗みを見つかったドジに対する罰」です。

成人して美しい女性を娶《めと》るためには、ライバル同士決闘してこれを勝ち抜かなければなりません。

どうしても決闘に勝てない男が結婚したい場合、誰もライバルがいないような醜女《しこめ》を選べばいいかと言えば、じつはそれすらも許されません。

なんとなれば、そもそも容姿の醜い者は、男女問わず結婚する権利すら与えられなかったためです。

このようにスパルタ教育とは、「徹底的に〝優生遺伝子〟を残し、〝劣生遺伝子〟を排除するための選抜がつねに行われる教育」だったのです。

こうしたやり方は、生まれた瞬間から始まっており、生まれたばかりの赤子は長老たちによって身体検査が行われ、万一身体に障害がある場合は、「役立たず」としてその場で殺されました。

もし筆者（身体障害者）が古代スパルタに生まれていたら、いきなり生きる権利も与えられることなく問答無用で殺されていたことになります。

ナチスの〝優生保護法〟へとつづく道

じつはこうしたスパルタの考え方は、ギリシア人特有のものではなく、ヨーロッパの人々の心に脈々と受け継がれていったものでした。

古代からずっと時代が下って、キリスト教という新しい価値基準に基づく中世という時代に入っても、その理念は変わることなく受け継がれていきます。

「全智全能の神が、意図せず不完全な体の子を造られるはずがない」
「障害者は神が意図的に造ったことになるから、罰を与えられた子」
「悪魔《サタン》の子」

……というキリスト教的価値観からの理屈で、障害者はいわれなき差別を受けることになります。

しかし、そうした〝理由付け〟は、その時代その時代の価値観に合わせて後から〝取って付けたもの〟であって、その根底にはスパルタ的価値観が流れているだけにすぎません。

したがって、さらに時代が下って近代に入り、人文主義《ヒューマニズム》が生まれ、産業革命が起こり、「進化論」が主張されるようになって、それまでの「キリスト教的世界観」を打ち砕く新しい価値基準「科学」の時代になっても、それは変わりませんでした。

――進化論が正しいならばなおさらのこと、
劣生遺伝子を後世に残さぬために、
いよいよ以《もっ》て障害者なんぞに子孫を残させてはならない！

こうして障害者を社会から隔離させたり、あるいは不妊手術を強制させたりする、ということが横行します。

古代的世界観から、キリスト教的世界観、そして科学の時代と、社会の価値観がどれほど激変しても、「障害者に子孫を残させてはならない」という根本理念がヨーロッパの人々の心の奥底に脈々と生きつづけていたことがわかります。

そしてそれは20世紀に入ってもなお受け継がれ、ついに「法律」として成立したことさえありました。

それがナチスの〝優生保護法〟（１９３３年）です。

歴史に疎《うと》い方は、ここだけを取り上げて「身障者だというだけで殺戮《さつりく》するなんて、やっぱりナチスはとんでもないひどい連中だ！」と非難の道具にしたがります。

しかし、じつはその理念や行為そのものは、古代から脈々と行われてきたことであって、ヨーロッパ史の中でナチスだけが特別ひどいというわけではありません。ナチスはあくまで〝それ〟を立法化したにすぎないのです。

分別過ぐれば愚に返る

このように歴史を紐解けば、障害者に対する社会の扱いは、長きにわたって多くは冷淡・残忍・差別的なものでした。

ところが現代ではその反省、もしくは反動からか、「障害者を差別・隔離してはならない」を通り越して、たとえば「障害は個性」のような〝言葉遊び〟をはじめ、中には「障害者は天使」「いい人」という意味不明な価値観も見受けられるようになります。

さらには「障害者を保護せよ」を通り越して、「優遇せよ」「区別することすら許さん！」という極端な考え方すら聞かれるようになっていきました。

——「障害者」の「害」とは何事だ、書くときは「障碍者」「障がい者」と書け。

愚者には「差別心というものは〝心〟に宿るのであって、〝言葉〟に宿るものではない」という、至極簡単なことも理解できず、熱心に「言葉狩り」に励んだため、いまや障害者に対して少しでも対応を誤れば、たちまち大ヤケドを負いかねないため、まるで「腫れ物にでも触る」ような観すらあります。

こうした現状に、みな心の中では「おかしい」とは感じながらも、一様に口を閉ざしてしまっています。

これは戦前に「戦争反対！」を口にすれば、皆から袋だたきにされる雰囲気があって、自由な発言が抑圧されていたのと同じ。

日本人は過去の教訓から何も学んでいないことがわかります。

しかし、身障者の末席に身を置く者の1人として、筆者はあえて言いたい。

──分別過ぐれば愚に返る。

何事も「過ぎたるは及ばざるがごとし」で、こうした極端な現状が長くつづけば、必ずや手痛いシッペ返しとして返ってくることになるでしょう。

人はそれがなくなって初めて知る──筆者の場合

筆者も生まれつき右腕が動かないため、これまでの人生、何かと不便を強《し》いられてまいりましたが、それだけに周りの人からの温かい援助に扶《たす》けられてこの歳まで無事に生きてまいりました。

まだ私が中学校にあがったばかりのころ、学生服の襟《えり》のホックを片手でかけられず、クラスメイトに留めてもらっていたものです。

テレビゲームが流行するようになると、左手で「自機操作レバー」を操り、右手で「射撃ボタン」を連打しなければなりませんでしたが、右手が動かない私に、友人が代わりに右ボタンを連射してくれたものです。

例を挙げればキリがありませんが、一事が万事、このように私が片手で難儀していると、いちいち私が声を上げて頼むまでもなく、それを見ていた周りの誰か彼かが手を差しのべて扶けてくれたものでした。

私は、こうした周りの人の援助と保護と慈愛のおかげで、あまり不自由を感じることなく暮らすことができていたのです。

しかし、ここで重大な問題があります。

私はこのとき、親・兄弟・友人・知人、その他周りの人たちの温情・愛情・慈悲に守られて生きていたのに、そのことに対してまったく「感謝の気持ち」がなかったのです。

人間というものは、「物心つく前からあたりまえのように在る」ものに対して、感謝の気持ちが持てないものです。

私の場合、大学1回生のときに、このことに気が付かされる出来事が起こりました。

ある日、大学でできた新しい友人とゲームセンターに遊びに行ったときのこと。

私はゲーム機の前に座り、コインを投入すると、いつものように友人にいいました。

——俺がゲームをやっている間、

発射ボタン連打してて！

しかし、その友人の反応は、私にとって忘れることのできないショッキングなものでした。

——え？　やだよ。

なんで俺がそんなことせにゃならん？

私はこれまでこんな言葉を聞いたことがありませんでした。

高校までの友人は、何ひとつ嫌な顔とてせずやってくれていたことでしたので、

そのときの私は、後頭部を棍棒《こんぼう》でブン殴られたようなショックを受けたものです。

「え？　やだよ……？

や……なの？　そ、そうだよね！　やだよね！

やに決まってるよね！

なんでこんな当たり前のことに今まで気がつかなかったのだろう？

そうか、今までの友人だってやだったんだ！

それを文句ひとつ言わず、こころよく進んでやってくれてたんだ！」

――俺はみんなの愛情と慈悲と憐《あわ》れみに護られて
生きてきていたのか!!

私はこの「ゲーセン事件」で初めて、そのことに気づかされたのでした。

しかし乙武《おとたけ》氏は、40歳を超えた今なお、そのことに気づいていないのでしょう。

以前、乙武氏が銀座の某ビル2階のレストランを訪れたところ、車椅子だからと入店を断られたことがありました。

そのビルのエレベーターは2階には止まらない仕組みだったためです。

店側はそのことをチャンとネットにも明記していました。

にもかかわらず、乙武氏は自分を抱きかかえて運ぶよう要求し、それが断られると、ただちにツイッター上に「人間としての尊厳が傷つけられた！」「屈辱的！」と怒りを顕《あらわ》にします。

私は右腕だけですが、乙武氏は両手両脚を〝五体不満足〟としてこの世に生を享《う》けたのですから、恐らく私など比較にならぬほど、周りの人たちから多くの温情と慈悲と同情を一身に受けて育ってきたはずです。

しかし、それがゆえに、私以上にそうしたことが、〝当たり前〟になってしまい、感謝の気持ちに気づく機会が失われたものと思われます。

彼が今なすべきことは、まず自分の周りの人々の「愛」を感じ、理解し、これに感謝し、どうすればその恩に報いることができるかを考えることではないでしょうか。

過保護は子をダメにする【イスラームの場合】

ところで、ヨーロッパ世界が歴史的に身障者をどのように扱ってきたのかはすでに見てまいりましたが、では、イスラーム世界では身障者をどのように扱ってきたのでしょうか。

『クルアーン』を紐解くと、「障害者を社会から疎外してはならない」(24章61節)という主旨の聖句が見つかります。

しかし、そうした警句があること自体が、やはりイスラーム社会の中にも「障害者を差別し、疎外しよう」とする考えが脈々と流れていたことを窺《うかが》わせます。「戒め」は犯《おか》す者がいて初めて生まれるからです。

実際、現在のイスラーム世界でも、ヨルダンなど、地域によっては聖句を恣意的《しい》に解釈して、「障害者は無力で社会のお荷物」(75-76章)、「障害はアッラーの罰」(65-67章)と、身障者を社会から排除しようとしている国もあります。

そうした国での身障者は、まともな職業にも就けず、物乞いして暮らすしかありません。

ヨーロッパでも見てきたように、その国その社会によって「理由付け」はさまざまですが、その根底には「障害者を排除したい」「差別したい」という人々の思いが滾々《こんこん》と流れており、「理由」などは単なる〝後付け〟にすぎないことがわかります。

しかし『クルアーン』(48章17節)には、以下のような聖句があります。

「盲目な者たちに罪はない。足の不自由な者たちに罪はない。アッラーに従う者は誰でも楽園《ジャンナ》に入ることができる」

つまり、ムスリム(信者)にとって重要なのは信仰(六信五行)そのものであって、信仰さえ全《まっと》うしてさえいれば、障害者を差別することを厳に戒めています。それどころか、障害を負いながらもそれを乗り越えて信仰を果たす姿勢は、むしろ高い評価の対象になります。

したがって、現在の日本のように「障害者と見れば、何でもかんでも保護し、支援することが正しい」という考え方ではなく、「障害者自身が自立できるよう努力する」ことが求められます。

殷《いん》鑑《かん》遠からず。

イスラームのこうした考え方はたいへん大切なことで、「障害者を差別する」ことは確かに許されないことですし、「保護する」こともある程度は必要なことでしょう。

しかし、それが行きすぎて、「過保護にする」「優遇する」「腫れ物に触るように扱う」という今の日本の現状は度が過ぎているように思えてなりません。

そうした行き過ぎた社会が、乙武氏のような「支えられている自分」を自覚できない、〝精神的に未熟〟な人間をつくりあげたのではないでしょうか。

彼もまた、過保護社会の犠牲者なのかもしれません。

CHAPTER 19

「不倫辞職議員」は参政権の重みがわかっていない

2015年12月、宮崎謙介《みやざきけんすけ》衆議院議員（当時）が「育休」を宣言し、直後に不倫騒動が持ち上がり、議員辞職に追い込まれました。筆者が一番問題だと思うのは、私たちの「参政権」をないがしろにするような「育休宣言」のほうなのです。

前項でも述べましたとおり、人はあまりにも当たり前になってしまうと、その重要性を意識できなくなるものです。私たちの社会では〝当たり前〟のようになってしまった参政権も、その重要性や意義をすっかり忘れてしまっている人は多い。

「参政権」は、ほんのすこし前まで当たり前でもなんでもなく、現在のような権利を手に入れるまでに、どれほどの時間と血が流れたかしれません。
参政権の重要性と意義について、再確認するため、歴史を振り返ってみましょう。

権利と義務は表裏一体

今を遡《さかのぼ》ること2800年ほど前のこと、紀元前8世紀ごろ、ギリシアのアテネに都市国家《ポリス》が建設されました。ちょうどそのころ、アテネ市民の間に貧富の差が生まれ、貴族と平民に身分格差が生じ始めます。

ついこの間まで遊牧民族だった彼らの社会では、伝統的に「兵は武器自弁（自費で武装）」が原則でした。このころには鉄製武器が広まっていたとはいえ、まだまだ高価。日々の暮らしで精一杯で、武装するだけの経済的余裕がなかった平民たちは、従軍義務を果たせなくなってしまいます。したがって、外敵と戦うのはもっぱら貴族だけに限られていきました。

ところで、権利と義務は〝二つで一つ〟、表裏一体です。権利を行使するためには義務を全うする必要がありますし、義務を全うして初めて権利を行使する資格を得ます。この二つは決して分けて考えることはできませんから、従軍という「義務」を全うしていない者に、これに対応する「権利」として政治に発言する資格はありません。

こうして従軍ができなくなった平民たちは政界から排除され、政権はもっぱら貴族に独占されることになり、アテネは「貴族政」へと移行していきます。ですが、「権利と義務」についてよく理解していたアテネの平民たちは、この時点では不平の声を上げませんでした。

政治活動は「義務」ではなく「権利」

ところが時代が下り、冶金《やきん》技術が高まって鉄器が安価になってくると、平民たちも武装が可能になってきました。平民たちも従軍義務を果たせるようになると、彼らは当然の権利として参政権を要求します。

しかし、貴族たちはこれを拒否。人は一度手にした特権は、命に換えても手放さないものだからです。当然の権利を求める平民と、権力の座に固執する貴族。ここに初めて、貴族と平民の軋轢《あつれき》・対立が表面化することになり、たちまち秩序が悪化していくことになります。

貴族はなんとか平静を取り戻さんと、ドラコンの立法（紀元前621年）、ソロンの改革（同594年）など、次々と改革を打ち出しましたが、所詮《しょせん》は上辺だけの弥縫《びほう》策《さく》。根本的な問題解決には至らず、秩序が回復することはありませんでした。それどころか、ついに貧民の怒りが爆発し、政変が起き、政府が転覆する異常事態となります。これがペイシストラトスによる僭主《せんしゅ》政（独裁）です。

もっとも、この僭主政はペイシストラトスのカリスマのみによって支えられていた政権だったため、彼の死とともに僭主政はたちまち崩壊し、まもなく貴族政に戻りました。こうした多くの血が流れる混迷を経て、ペリクレスの時代になってようやく身分の貴賤・貧富に関係なく、平等に（ただし、女性・混血・奴隷・在留外人を除く）参政権が与えられることになったのでした。

こうして歴史を紐解けば明らかなように、参政権というのはたくさんの人々が長い時間と多くの犠牲を払って勝ち取った「権利」であって、断じて「義務」ではありません。

古代ギリシアは小さな都市国家《ポリス》で、成年男子全員が民会《みんかい》に出席する「直接民主制」でした。領域国家となった現代では、国民の代表として議員を国会に送り出す「間接民主制」となりましたが、参政権の本質が変わったわけではありません。

つまり、議員とは「国民が勝ちとった参政権という権利を預かり、これを代表して政治活動を行う代行者」であり、自ら望んで行使する「権利」です。「賃金をもらう対価として義務的にやらされる労働」ではありません。一般的な職業とは別格な存在なのです。

議員報酬のきっかけは産業革命

議員となり政治活動を行うことは「権利」なのですから、政治家とは元来、無給が当たり前でした。現在のように議員報酬が与えられるようになったのは、まだほんの100年前、20世紀に入ってからのことです。

事の契機を作ったのは産業革命でした。イギリスは1770年代から産業革命に入るや、1830年代にはこれを本格化させ、まもなく「パックス・ブリタニカ」

と言われる絶頂期（1850年代〜70年代半ば）を迎えます。

そんなイギリス絶頂の裏で、苛酷《かこく》な労働を強いられていたのが労働者です。イギリスの繁栄は彼らの下支えのおかげ（義務の全う）でありながら、彼らにはまったく参政権（権利の行使）がありません。これは、労働者たちが「国家に貢献する」という義務を果たしているのに「参政」の権利がないということで、権利と義務のバランスが成り立たなくなっていましたから、不満が募るようになります。

こうして、1830年代〜40年代を中心として「チャーチスト運動」という労働運動が湧《わ》き起こるようになります。彼らの要求の中枢は「成年男子による普通選挙を実施せよ！」というものでした。ただ、当時の議員は当然のごとく古来よりずっと無給でしたから、もしこの要求が通って普通選挙が実施されたとしても、「毎日朝から晩まで働いて食べていくのが精一杯」という労働者階級が議員になることは経済的に不可能です。

そこで貧しい人たちでも政治活動ができるようにするための措置として、チャーチスト運動の要求の中に「議員には歳費を支給せよ！」という項目が加わります。チャーチスト運動そのものは、50年代に入って尻すぼみとなっていきましたが、その努力は無駄ではありませんでした。

その後、上院と下院の対立が表面化したとき、1911年に「議会法」が制定され、現在に至るまでの「下院優越」が定められましたが、このとき同時に「下院議員には報酬が支払われるものとする」とされたのです。

議員有給制の弊害

このように「議員有給制」は「普通選挙」と二つで一つ、「権利と義務」同様、表と裏の関係で成立してきました。貧しい人たちでも政治活動ができるようにするための措置として、ある程度仕方ない側面もありますが、その弊害もまた著しいものがあります。

その最たるは、有給制になることによって、政治活動を「聖職」ではなく「一般職」と考え、「奉仕」ではなく「給料《カネ》目当て」で議員になる者が後を絶たなくなることです。

宮崎氏はその典型と言えるでしょう。彼自身は「男性の育休取得の促進に向け、一石を投じるため」などと主張して、一定の支持も得ていたようですが、筆者は不倫発覚前からこれを非常に胡散臭《うさんくさ》く感じていました。それが目的なら他にいくらでもやり方はあるのに、あえてそのような言動に出ること自体が、彼が議員活動と「（一般的）職業」との区別が付いていない証左だと感じたためです。

「議員有給制」はたしかに弊害も大きく、現在でもその弊害を苦々しく思う人々の間から「議員報酬をなくせ！」という声はあります。とはいえ、有給制反対派はこれを廃止した場合、有給制がなくなることによって生まれる弊害を、どう解決していくかの対策を示すことができていません。

宮崎氏は不倫問題でたたかれ、議員辞職にまで追い込まれましたが、彼の罪深きはそんなことではありません。彼の罪深きは、議員職というものを「メシのタネ」だと勘違いしていることです。そうした勘違いが「育休宣言」などという愚行を起こすのです。

議員は一般の「職業」と違って多くの特権が与えられています。わざわざ「育休宣言」などせずとも、積極的に育児に関わる方法はたくさんあるはずです。そこに彼の「単なる選挙向けパフォーマンス」「御為《おため》ごかし」が見え隠れします。

人間は手に入れれば興味を失う

こうした「口先だけは巧言令色《こうげんれいしょく》、大言壮語、しかし実の伴わない政治家」のことを「煽動政治家《デマゴーゴス》」と呼びます。こうした者たちこそ国家を亡ぼす元凶であり、こうした者が政界にはびこらないようにするのが、本来、選挙権を持つ者の務めです。

そこで、冒頭の古代ギリシアのアテネに話を戻しましょう。

アテネ市民が長い時間と多くの犠牲を払って、ペリクレスの時代になってようやく参政権を手に入れたところまで見てまいりました。夢にまで見た参政権。命を賭けて勝ちとった参政権。平民たちはさぞや喜び、これを有効活用したかと思いきや……。

人間というのは「無い物ねだり」をし、手に入れれば興味を失いがちです。持っていなければ強烈にこれを欲し、手に入れるためには時に命すら賭けることを厭《いと》いませんが、いざ手に入ってしまえばたちまち放り出す。プレイボーイが女性を口説き落とすときのことを想像すると、理解しやすいでしょうか。

古代アテネでも、等しく参政権が与えられた結果、市民はたちまち政治に関心を失ってしまいました。その結果、口を開けば大言壮語ながら、その実、私腹を肥やすことしか能のない無能政治家・デマゴーゴスの巧言令色をまったく見抜くことができなくなります。

こうしたデマゴーゴスに政界を牛耳《ぎゅうじ》られた結果、アテネは亡国の道を一直線に辿っていくことになりました。

前車の覆るは後車の戒め

アテネという前車の轍《てつ》を踏まないためには、一人ひとりの国民が、歴史を学び、政治的関心を失わず、こうしたデマゴーゴスの御為ごかしを見抜く「真贋《しんがん》を見極める眼」を持たなければなりません。それができない限り、デマゴーゴスの跋扈《ばっこ》を防ぐ手段はなく、また、それができない国民は「民主主義を語る資格」を持たないということです。

さて、我々日本人には、民主主義を語る資格はあるのでしょうか。

あとがき

歴史ほど学んで楽しく、しかも履修者の教養を爆発的に高めてくれ、そのうえ人生に役立つ学問もありません。

にもかかわらず、ほとんどの人が歴史に苦手意識を持ち、これを避けてしまっているのは、偏《ひとえ》に歴史教師が学生に暗記を強要する教え方をしているためです。

そもそも歴史学というものは、歴史学以外のほとんどすべての学問の基盤と言っても過言ではなく、たとえば、歴史とはあまり関係なさそうな音楽や絵画の世界ですら、音楽家は楽器を演奏していればよいというものではなく、画家は絵を描いていればよいというものではありません。

先人たちの偉業を乗り越え、さらにその上の境地を切り拓いていかんと望むなら、彼らの作品や技術、思想・精神などを徹底的に学び、理解し、体得し、それを土台としてさらなる研鑽《けんさん》を積まなければなりませんが、そのためにはどうしてもその歴史知識が必須となるからです。

このように、歴史学の履修なくして他の学問を修めることもまた不可能になるほど重要なものなのですが、学者だとか芸術家だとか、そんな大層なものを持ち出さなくとも、もっと身近に、たとえば旅行や娯楽ひとつ取ってみてもそうです。

旅先の国や民族の歴史を何も知らずにその地を訪れたところで、目の前の荘厳な遺跡や建造物を見ても、せいぜいその場限りの一時的な高揚がある程度です。

しかし、その国の歴史をしっかり学んだうえで訪れると、柱についた小さなキズひとつでさえ、その歴史的背景が頭の中を駆け巡り、震えるような感動を覚えていつまでも心に残ります。

映画鑑賞にしても、その映画が作られた国の歴史的背景、文化・風俗・習慣・民族性などを理解せずして真の理解はあり得ず、感動も薄っぺらなものとなってしまいます。

そして、本書で学んできたように、ニュースひとつ取ってみても、その本質を理解するために歴史知識が必須となるのです。

本書がそうしたことを知るきっかけとなってくれたなら、筆者本懐の至りです。

神野正史

著者紹介
神野正史（じんの　まさふみ）
河合塾世界史講師。世界史ドットコム主宰。学びエイド鉄人講師。ネットゼミ世界史編集顧問。ブロードバンド予備校世界史講師。歴史エヴァンジェリスト。
1965年名古屋生まれ。既存のどんな学習法よりも「たのしくて」「最小の努力で」「絶大な効果」のある学習法を永年にわたって研究し、開発。「世界史に暗記は要らない」という信念から作られた「神野式世界史教授法」は、毎年、受講生から「“歴史が見える”という感覚が開眼する！」と、絶賛と感動を巻き起こしており、偏差値が1年間で20〜30上がる学生が続出。
主な著書に、『世界史劇場』シリーズ（ベレ出版）、『「覇権」で読み解けば世界史がわかる』（祥伝社）、『「移民」で読み解く世界史』（イースト・プレス）、『暗記がいらない世界史の教科書』『最強の教訓！ 世界史』（以上、ＰＨＰ研究所）などがある。

本書は、2016年12月に日経BPから刊行された『現代を読み解くための「世界史」講義』を改題して加筆・修正・再編集し、新たに日経ビジネス電子版2017年3月23日掲載の記事を加筆の上、追加したものです。

ＰＨＰ文庫　現代への教訓！ 世界史

2021年８月13日　第１版第１刷

著　者　神野正史
発行者　後藤淳一
発行所　株式会社ＰＨＰ研究所
東京本部　〒135-8137 江東区豊洲5-6-52
PHP文庫出版部　☎03-3520-9617(編集)
普及部　☎03-3520-9630(販売)
京都本部　〒601-8411 京都市南区西九条北ノ内町11
PHP INTERFACE　https://www.php.co.jp/
組　版　有限会社エヴリ・シンク
印刷所
製本所　図書印刷株式会社

ISBN978-4-569-90146-6

PHPの本

暗記がいらない世界史の教科書

本当の教養を身につける

神野正史 著

細々とした人名や地名の暗記ではなく、各時代ごとの普遍的な特徴を学んで、世界史の本質をつかむ。超人気予備校教師の野心作。

PHP文庫

最強の教訓！世界史

神野正史 著

決して「戦略」を見失わず、ドイツ統一を達成したビスマルク。片や連戦連勝なれど戦略を見失い失敗した上杉謙信――偉人の叡智に学ぶ。

PHP文庫

最強の教訓！　日本史

河合　敦　著

日本史に登場する偉人たち21名の生き方を臨場感をもって描く。成功するため、よく生き抜くための教訓を、わかりやすく紹介する。

PHP文庫

「地形」で読み解く世界史の謎

武光 誠 著

砂漠のシルクロードが、なぜ栄えたのか？なぜインカ文明は山岳地帯に都市を築いたのか？地形を読み解くと新しい歴史が見えてくる！

PHP文庫

世界史・10の「都市」の物語

出口治明 著

文化、宗教、経済、政治、戦争……世界を牽引してきた「都市」の素顔の中に息づく歴史を知ることで、文明の歴史も理解できる一冊。